편입수학 중앙대학교 5개년 기출

발 행 | 2024년 07월 16일
저 자 | 스킬편입수학 연구소
펴낸이 | 한건희
펴낸곳 | 주식회사 부크크
출판사등록 | 2014.07.15.(제2014-16호)
주 소 | 서울특별시 금천구 가산디지털1로 119 SK트윈타워 A동 305호
전 화 | 1670-8316
이메일 | info@bookk.co.kr

ISBN | 979-11-410-9565-9

www.bookk.co.kr

SKILL_MATH

스킬편입수학 연구소

편입 수학
중앙 대학교
5개년 기출

SKILL_MATH
스킬편입수학 연구소

편입 수학
중앙 대학교
5개년 기출

수학과

1. $\lim\limits_{x\to 0}\dfrac{x\sin(x^2)}{\tan^3 x}$ 을 계산하면? 〔2.5점〕

① 0   ② 1   ③ $\dfrac{1}{2}$ ④ $\dfrac{1}{3}$

2. $\displaystyle\int_0^{\frac{\pi}{3}}\sec x\tan x\,(1+\sec x)dx$의 값은?
〔2.5점〕

① $\dfrac{1}{2}$ ② 1   ③ $\dfrac{3}{2}$ ④ $\dfrac{5}{2}$

3. R^3의 세 벡터 $(3-k,-1,0)$, $(-1,2-k,-1)$,
   $(0,-1,3-k)$
가 일차종속이 되도록 하는 k의 값을 모두
더하면? 〔2.5점〕

① 5
② 8
③ 10
④ 12

4. $x>0$에서 정의된 함수 $x^{x^{-2}}$의 극값이
최솟값인지 최댓값인지 말하고 그 값을
구하여라. 〔3.5점〕

① 최솟값, $e^{\frac{1}{2e}}$

② 최댓값, $e^{\frac{1}{2e}}$

③ 최솟값, $e^{\frac{1}{e}}$

④ 최댓값, $e^{\frac{1}{e}}$

5. 2×2행렬 $A=\begin{pmatrix} a\,b \\ c\,d \end{pmatrix}$는 고윳값 $2,5$와 각 고윳값에 해당하는 고유벡터 $\begin{pmatrix} 1 \\ 0 \end{pmatrix}$과 $\begin{pmatrix} 1 \\ 1 \end{pmatrix}$을 갖는다. 이 때 b의 값은? 〔2.5점〕

① 0   ② 1   ③ 3   ④ 5

6. 점 $A(5,6)$을 원점을 중심으로 시계 반대방향으로 $45°$만큼 회전한 후, 직선 $y=-x$에 관하여 대칭이동한 점을 $B(b,c)$라 하자. 이 때 $b+c$의 값은? 〔3.5점〕

① $-5\sqrt{2}$ ② $5\sqrt{2}$

③ $\dfrac{11\sqrt{2}}{2}$ ④ $-\dfrac{11\sqrt{2}}{2}$

7. $\displaystyle\int_{\frac{1}{2}}^{\frac{\sqrt{2}}{2}} \arcsin x\,dx$를 계산하면? 〔2.5점〕

① $\dfrac{3\sqrt{2}-2}{24}\pi - \dfrac{\sqrt{3}-\sqrt{2}}{2}$

② $\dfrac{3\sqrt{2}-2}{12}\pi - \dfrac{\sqrt{3}-\sqrt{2}}{2}$

③ $\dfrac{3\sqrt{2}-2}{24}\pi - \sqrt{3}+\sqrt{2}$

④ $\dfrac{3\sqrt{2}-2}{48}\pi - \dfrac{\sqrt{3}-\sqrt{2}}{4}$

8. $f(x)=\begin{cases} \dfrac{1}{x^2}\displaystyle\int_0^x \sin(t^2)dt & (x\neq0) \\ 0 & (x=0) \end{cases}$으로 정의된 함수 $f(x)$에 대하여 $f'(0)$의 값은? 〔3.5점〕

① 1 ② $\dfrac{1}{2}$ ③ $\dfrac{1}{3}$ ④ $\dfrac{1}{4}$

9. 성분이 모두 실수인 $m \times n$행렬의 집합 $M_{m \times n}(R)$은 행렬합과 스칼라곱에 대하여 벡터공간을 이룬다. 행렬 $A = \begin{pmatrix} 1 & -2 \\ 0 & 4 \end{pmatrix}$에 대하여 선형함수 $T : M_{2 \times 2}(R) \to M_{2 \times 2}(R)$를 $T(X) = XA$로 정의 할 때 T의 고윳값을 중복을 허용하여 모두 더하면? 〔4점〕

① 5   ② 10   ③ 15   ④ 20

10. 점 $(-5, 12)$를 직선 $y = tx$에 대하여 대칭이동한 점을 $(a(t), b(t))$라 할 때 $-1 \le t \le 1$에서 정의된 곡선 $\gamma(t) = (a(t), b(t))$의 길이는? 〔3점〕

① $\dfrac{13}{2}\pi$ ② 13π ③ 15π ④ $\dfrac{15}{2}\pi$

11. $\displaystyle \int_0^1 \int_0^{\sqrt{1-x^2}} \int_{\sqrt{x^2+y^2}}^{\sqrt{2-x^2-y^2}} x\, dz\, dy\, dx$를 계산하면? 〔4점〕

① $\dfrac{\pi - 2}{2}$

② $\dfrac{\pi - 2}{4}$

③ $\dfrac{\pi - 2}{8}$

④ $\dfrac{\pi - 2}{16}$

12. 양끝점이 점 $(-1, 1, -1)$과 점 $(1, 1, 1)$인 선분을 z축 중심으로 회전하여 얻은 곡면의 넓이는? 〔3점〕
(단, $\displaystyle \int \sec^3 x\, dx = \frac{1}{2}\sec x \tan x + \frac{1}{2}\ln|\sec x + \tan x| + C$를 이용할 수도 있다.)

① $\pi(2\sqrt{3} + \sqrt{2}(\ln\sqrt{2} + \sqrt{3}))$
② $2\pi(\sqrt{2} + \ln(1 + \sqrt{2}))$
③ $\pi(\sqrt{6} + \ln(\sqrt{3} + \sqrt{2}))$
④ $2\pi(\sqrt{6} + \ln(\sqrt{3} + \sqrt{2}))$

13. 성분이 모두 실수인 2×2행렬 A가 $A^3 = \begin{pmatrix} 8 & 0 \\ 7 & 1 \end{pmatrix}$을 만족할 때 A^5의 대각합 $tr(A^5)$의 값은? 〔4점〕

① 33   ② 32   ③ 31   ④ 30

14. A, A^2, A^3의 대각합이 각각 $2, 10, 20$인 3×3행렬 A의 행렬식의 값은?

① 3
② 6
③ 2
④ -2

15. $x + y + 2z = 2$와 $z = x^2 + y^2$을 만족하는 실수 x, y, z에 대하여 $e^{x^2 + y^2 + z^2}$의 최댓값을 구하면?

① e^3
② e^6
③ e^8
④ e^{10}

16. 평면 $x - 2y + 3z = 0$을 만나지 않는 직선이 점 $(4, -5, 6)$과 점 $(0, 0, a)$를 지날 때, $3a$의 값은?

① 32
② 16
③ 8
④ 4

17. R^3의 내적 $\langle \ , \ \rangle$이
$\langle (x_1, x_2, x_3), (y_1, y_2, y_3) \rangle$
$= x_1 y_1 + x_2 y_2 - x_1 y_3 - x_3 y_1 + 4 x_3 y_3$
로 정의되었을 때, 세 벡터
$(1, 0, 0), (0, 1, 0), (a, b, c)$가 이 내적에 대하여
직교 단위기저를 이룬다고 하자. $a^2 + b^2 + c^2$의
값은? 〔4점〕

① $\dfrac{1}{3}$ ② $\dfrac{2}{3}$ ③ 1 ④ $\dfrac{4}{3}$

18. 두 평면 $x + y + z = 3, \ x - 5y + z = 3$에
접하고 중심이 $x = \dfrac{y}{2} = \dfrac{z}{3}$에 놓인 구의
반지름이 r에 대하여 $\left(r - \dfrac{3\sqrt{3}}{4} \right)^2$의 값은?
〔3점〕

① $\dfrac{3}{16}$ ② $\dfrac{5}{16}$ ③ $\dfrac{7}{16}$ ④ $\dfrac{9}{16}$

19. 타원 $x^2 + 4y^2 = 5$위의 점 (a, b)에서의
접선이 두 점 $(3, 2)$와 $(c, 0)$를 통과할 때,
$a + b + c$의 값은? $(b > 0$이다.$)$
〔4점〕

① -5
② -8
③ -10
④ -12

20. $\displaystyle \int_0^\infty \int_0^\infty y e^{-x^2 - y^2} \, dx \, dy$의 값은? 〔3점〕

① 1 ② $\sqrt{\pi}$ ③ $\dfrac{\sqrt{\pi}}{2}$ ④ $\dfrac{\sqrt{\pi}}{4}$

21. 다음 〈보기〉 중 수렴하는 급수의 개수는?
〔4점〕

ㄱ. $\sum_{n=1}^{\infty}(-1)^{n+1}\dfrac{7n+1}{n\sqrt{n}}$

ㄴ. $\sum_{n=1}^{\infty}\dfrac{\ln n}{n\sqrt{n}}$

ㄷ. $\sum_{n=2}^{\infty}\dfrac{3}{n\sqrt{2\ln n+3}}$

ㄹ. $\sum_{n=1}^{\infty}\arcsin\left(\dfrac{1}{n\sqrt{n}}\right)$

① 1개
② 2개
③ 3개
④ 4개

22. 함수 $f(x,y)=x^3+y^2-6xy+6x+3y$의 극소점을 (a,b)라 하면 $a+b$의 값은? 〔3점〕

① $\dfrac{3}{2}$ ② $\dfrac{5}{2}$ ③ $\dfrac{27}{2}$ ④ $\dfrac{37}{2}$

23. 평면 $2x-y+2z=10$위의 점 중에서 원점 O에 가장 가까운 점을 A라 하자. 평면 $x+2z=0$위의 점 중에서 A에 가장 가까운 점을 (a,b,c)라 할 때 $\sqrt{a^2+b^2+c^2}$의 값은? 〔4점〕

① $\dfrac{\sqrt{5}}{10}$ ② $\dfrac{\sqrt{5}}{3}$ ③ $\sqrt{5}$ ④ $\dfrac{2\sqrt{5}}{3}$

24. $D=\left\{(x,y)\in R^2\mid x^2+2xy+4y^2\le 1\right\}$라 할 때 $\iint_D(1-x^2-2xy-4y^2)dxdy$ 의 값은? 〔3점〕

① $\dfrac{\pi}{2\sqrt{3}}$ ② $\dfrac{\pi}{3\sqrt{3}}$ ③ $\dfrac{\pi}{\sqrt{3}}$ ④ 0

25. 다음과 같이 매개변수로 정의된 곡면 S의 넓이를 구하면? 〔3점〕

$$S = \left\{ (x,y,z) \in R^3 \,\middle|\, x = e^r\cos\theta, y = e^r\sin\theta, z = e^r, \, 0 \le r \le 1, 0 \le \theta \le \pi \right\}$$

① $\dfrac{\pi}{2}(e^2 - 1)$ 　　　　② $\dfrac{\sqrt{2}\,\pi}{2}(e^2 - 1)$

③ $\dfrac{\sqrt{2}\,\pi}{3}(e - 1)$ 　　　　④ $\dfrac{\sqrt{2}\,\pi}{3}(e^2 - 1)$

26. $0 \le t \le 1$에서 정의된 곡선 $c(t) = (\sqrt{t}, \arcsin t, t^5)$과 벡터장 $F(x,y,z) = (e^x\sin y, e^x\cos y, z^2)$에 대한 선적분 $\displaystyle\int_c F \cdot ds$의 값은? 〔4점〕

① $e + 1$ 　　　　② $e + \dfrac{2}{3}$

③ $e + \dfrac{1}{3}$ 　　　　④ $e + \dfrac{1}{6}$

27. 벡터장 $F(x,y,z) = (x^2 + ye^z, \, y^2 + ze^x, \, x^2 + y^2 + z^2)$과 곡면 $S = \{(x,y,z) \in R^3 \mid x^2 + y^2 + z^2 = 1, z \ge 0\}$에 대하여 면적분 $\displaystyle\iint_S F \, dS$의 값은? 〔3점〕

(단, 곡면 S의 향(Orientation)은 위쪽 방향이다.)

① $\dfrac{5\pi}{2}$ 　　② $\dfrac{3\pi}{2}$ 　　③ $\dfrac{\pi}{2}$ 　　④ π

28. A는 성분이 모두 실수인 3×3행렬이고 고윳값 $0, 1, 2$를 갖는다. I가 3×3항등행렬일 때, 다음 설명 중 항상 옳은 것을 고르면? 〔3점〕

① $(A - I)^n$이 영행렬이 되는 자연수 n이 존재한다.
② $A - 2I$의 대각합 $tr(A - 2I)$는 0이다.
③ $A^2 - 3A + 2I = O$이다. O는 모든 성분이 0인 3×3영행렬이다.
④ $A + I$의 역행렬 $(A + I)^{-1}$의 고윳값은 $1, \dfrac{1}{2}, \dfrac{1}{3}$이다.

29. 행렬 $A = \begin{pmatrix} 4 & 0 & 1 \\ 0 & 3 & 0 \\ 1 & 0 & 4 \end{pmatrix}$ 일 때

$x = \begin{pmatrix} x_1 \\ x_2 \\ x_2 \end{pmatrix}$, $\sqrt{x_1^2 + x_2^2 + x_3^2} = 2$ 인 벡터에 대하여

$Ax = \begin{pmatrix} y_1 \\ y_2 \\ y_3 \end{pmatrix}$ 의 크기 $\parallel Ax \parallel = \sqrt{y_1^2 + y_2^2 + y_3^2}$ 의

최댓값은? 〔4점〕

① $5\sqrt{2}$　　② 8　　③ 10　　④ 11

30. 차수가 2이하인 실수 계수 다항식으로 이루어진 벡터공간

$V = \{a + bx + cx^2 | a, b, c \in R\}$ 의 쌍대

공간(Dual space) V^* 의 기저 $\{\phi_1, \phi_2, \phi_3\}$ 가

$\phi_1(f(x)) = \displaystyle\int_0^1 f(x)dx$, $\phi_2(f(x)) = f'(1)$,

$\phi_3(f(x)) = f(0)$

이라하자. 이 때 $\{f_1, f_2, f_3\}$ 가 V의 기저로서 $\{\phi_1, \phi_2, \phi_3\}$ 의 쌍대 기저(Dual basis)이면 $f_1(1) + f_2(1) + f_3(1)$ 의 값은? 〔3점〕

① $\dfrac{1}{4}$　　② $\dfrac{3}{4}$　　③ $\dfrac{5}{4}$　　④ $\dfrac{7}{4}$

1. $\displaystyle\lim_{\theta\to 0}\frac{\tan\theta-\sin\theta}{\theta^3}$ 의 값은? [3]

① $-\dfrac{1}{2}$

② $-\dfrac{1}{6}$

③ $\dfrac{1}{6}$

④ $\dfrac{1}{2}$

2. 곡선 $e^{x/y}=x-y$위의 점 $(0,a)$에서의 접선이 직선 $y=x+3$과 점 (b,c)에서 만날 때, $a+b+c$의 값은? [2.5]

① 5　　② 10　　③ 20　　④ 40

3. R^3의 두 점 $A(1,1,1), B(1,1,2)$와 평면 $2x-y+z=0$위의 점 P에 대하여 $\overline{PA}+\overline{PB}$의 최솟값은? (단, $\overline{XY}$는, X,Y사이의 거리를 나타낸다.)

① $\sqrt{5}$　　② $\sqrt{6}$　　③ $\sqrt{7}$　　④ $\sqrt{8}$

4. 세 점 $(1,0)$, $(1,2)$, $(4,1)$을 꼭짓점으로 하는 삼각형의 둘레와 내부를 T라 할 때, $\displaystyle\iint_T y^2 dx dy$의 값은? [3.5]

① $\dfrac{3}{2}$

② $\dfrac{5}{2}$

③ $\dfrac{7}{2}$

④ $\dfrac{9}{2}$

5. 2×2 행렬

A가 $A \begin{pmatrix} 1 \\ -1 \end{pmatrix} = \begin{pmatrix} 2 \\ -2 \end{pmatrix}$, $A \begin{pmatrix} 1 \\ 1 \end{pmatrix} = \begin{pmatrix} 3 \\ 3 \end{pmatrix}$을 만족할

때, $A^{17} \begin{pmatrix} 11 \\ -5 \end{pmatrix} = \begin{pmatrix} x \\ y \end{pmatrix}$라 놓으면 $x - y$의 값은?

[3]

① 2^{19}

② 2^{21}

③ 3^{19}

④ 3^{21}

7. R^3의 순서기저 (ordered basis)

$\beta = \{v_1, v_2, v_3\}$에 관한 선형변환 $T : R^3 \to R^3$의

행렬표현이 $\begin{pmatrix} 1 & 1 & -1 \\ 2 & 0 & 1 \\ 1 & 1 & 0 \end{pmatrix}$으로 주어진다.

$w_1 = v_1 + 2v_2 + 4v_3$, $w_2 = v_2 + 2v_3$, $w_3 = v_3$에

대하여 $T(w_1 + w_2 + w_3) = \alpha w_1 + \beta w_2 + \gamma w_3$라

할 때, $\alpha + \beta + \gamma$의 값은? [3]

① -2　　② -1　　③ 0　　④ 3

6. $I(E) = \iiint_E (1 - x^2 - 2y^2 - 3z^2) dx\, dy\, dz$ 의

값이 최대가 되도록 R^3의 영역 E를 정할 때,

$I(E)$의 값은? [3.5]

① $\dfrac{2\pi}{15\sqrt{6}}$

② $\dfrac{8\pi}{15\sqrt{6}}$

③ $\dfrac{4\pi}{5\sqrt{6}}$

④ $\dfrac{2\pi}{5\sqrt{6}}$

8. 타원 $x^2 + 4y^2 = 8$ 위의 점 $(2, 1)$에서

곡률의 값은? [3]

① $\dfrac{2}{25}\sqrt{5}$

② $\dfrac{4}{25}\sqrt{5}$

③ $\dfrac{1}{5}\sqrt{5}$

④ $\dfrac{8}{5}\sqrt{5}$

9. 3×3행렬 A의 특성다항식이 $\det(A - tI) = -t^3 + 2t^2 + 6t - 1$로 주어질 때, 행렬 A^2의 특성다항식을 $p(t) = \det(A^2 - tI)$라 하면 미분계수 $p'(1)$의 값은? (단, I는 3×3단위행렬이다.)

① -5 ② 7 ③ -11 ④ 13

11. 행렬 M의 기약행사다리꼴 (row-reduced echelon form)이 $\begin{pmatrix} 1 & 0 & -2 & 0 & 2 \\ 0 & 1 & -3 & 0 & 5 \\ 0 & 0 & 0 & 1 & 6 \end{pmatrix}$으로 주어진다고 하자. M의 첫째, 둘째, 넷째 열이 각각 $\begin{pmatrix} 1 \\ 1 \\ 2 \end{pmatrix}$, $\begin{pmatrix} 3 \\ 1 \\ -1 \end{pmatrix}$, $\begin{pmatrix} 2 \\ 1 \\ 1 \end{pmatrix}$일 때, M의 다섯째 열의 성분을 모두 합하면? [3.5]

① 29 ② 34 ③ 42 ④ 47

10. 4.선형변환 $T : R^4 \to R^5$를 다음과 같이 정의한다.
$$Tv = Av, \; A = \begin{pmatrix} 2 & 0 & -2 & 4 \\ 1 & 0 & -2 & 3 \\ 0 & 4 & 2 & 1 \\ 6 & 4 & -4 & 13 \\ 2 & 4 & -2 & 7 \end{pmatrix}, \; v \in R^4$$
T의 계수를 r이라 하고 T의 영공간의 차원을 n이라 할 때, $r - n$의 값은?

① 0
② 1
③ 2
④ 3

12. 곡면
$$S = \left\{ (x,y,z) \in R^3 : z = \frac{1}{2}y^2, 0 \le x \le 1, 0 \le y \le 1 \right\}$$에 대하여 곡면적분 $\displaystyle \iint_S \sqrt{1 + y^2} \, dS$의 값은?

① $\dfrac{1}{3}$

② $\dfrac{2}{3}$

③ 1

④ $\dfrac{4}{3}$

13. $T(1,0)=(1,2)$와 $T(0,1)=(1,-3)$을 만족하는 선형변환 $T:R^2 \to R^2$가 세 점 $P(1,1)$, $Q(2,3)$, $R(3,2)$를 각각 P', Q', R'으로 옮긴다고 할 때, 세 점 P', Q', R'을 꼭짓점으로 하는 삼각형의 넓이는? [2.5]

① $\dfrac{9}{2}$　　② $\dfrac{11}{2}$　　③ $\dfrac{13}{2}$　　④ $\dfrac{15}{2}$

15. $c>0$일 때,

멱급수 $1+\displaystyle\sum_{n=1}^{\infty} \dfrac{(2)_n(-3)_n}{n!(c)_n}\left(\dfrac{x}{2}\right)^{2n}$의 수렴반경을 구하면? (단, 임의의 실수 α에 대하여 $(\alpha)_n = \alpha(\alpha+1)\cdots(\alpha+n-1)$으로 정의한다.) [3]

① 2　　② $3c$　　③ $6c$　　④ $+\infty$

14. 곡선 $\gamma(t)=\left(\dfrac{t+1}{t^2+1}, \dfrac{t(t+1)}{t^2+1}\right)$, $0 \le t \le 1$, 의 길이는? [4]

① π　　② $\dfrac{\pi}{\sqrt{2}}$　　③ $\dfrac{\pi}{2\sqrt{2}}$　　④ $\dfrac{\pi}{4}$

16. $\displaystyle\int_0^1 \sqrt{\dfrac{1-x}{1+x}}\,dx$의 값은? [3]

① $-1-\dfrac{\pi}{2}$

② $-1+\dfrac{\pi}{2}$

③ $1-\dfrac{\pi}{2}$

④ $1+\dfrac{\pi}{2}$

17. $\int_0^{\frac{\pi}{2}} \cos^3 x \sin^3 x \, dx$의 값은? [3.5]

① $\dfrac{1}{12}$ ② $\dfrac{1}{6}$ ③ $\dfrac{1}{3}$ ④ $\dfrac{1}{2}$

19. $a > 0$일 때, 특이적분

$$\int_0^{\infty} e^{-at} \cos t \, dt$$을 계산하면?

① $\dfrac{1}{1+a^2}$

② $\dfrac{a}{1+a^2}$

③ $\dfrac{1+a}{1+a^2}$

④ $\dfrac{1}{a}$

18. $\int_0^1 x^5 e^{-x^3} dx$의 값은? [3]

① $\dfrac{1}{3}\left(1 - \dfrac{2}{e}\right)$

② $-\dfrac{1}{3e}$

③ $\dfrac{1}{3e}$

④ $\dfrac{1}{3}\left(1 + \dfrac{2}{e}\right)$

20. $g(x) = \dfrac{1-x}{1+x}$일 때,

$$\int_0^1 \frac{g(x)g'(x)}{\sqrt{1 + [g(x)]^2}} \, dx$$의 값은? [3]

① $-\sqrt{2}$

② -1

③ $1 - \sqrt{2}$

④ $\sqrt{2} - 1$

21. 구간 $[0,1]$에서 연속인 함수 R에 대하여 정적분 $I=\int_0^{\frac{\pi}{2}} R(\cos x)dx$를 새로운 변수 $u=\tan(x/2)$로 치환하여 올바르게 나타낸 것은? [4]

① $I=2\int_0^1 R\left(\dfrac{2u}{1+u^2}\right)\dfrac{du}{1+u^2}$

② $I=2\int_0^1 R\left(\dfrac{1-u^2}{1+u^2}\right)\dfrac{du}{1+u^2}$

③ $I=2\int_0^1 R\left(\dfrac{2u}{1+u^2}\right)\dfrac{du}{\sqrt{1+u^2}}$

④ $I=2\int_0^1 R\left(\dfrac{1-u^2}{1+u^2}\right)\dfrac{du}{\sqrt{1+u^2}}$

23. $r(t)=\dfrac{1}{\sqrt{t}}(\cos t, \sin t, t)$일 때, 외적 $r(t)\times r'(t)$의 크기를 구하면? (단, $t>0$)

① $\sqrt{1+\dfrac{2}{t^2}}$

② $\sqrt{t+\dfrac{1}{t}}$

③ $\dfrac{1}{2}\sqrt{\dfrac{5}{t}+\dfrac{1}{t^3}}$

④ $\sqrt{1+\dfrac{1+\sin 2t}{t}}$

22. $t>0$일 때,
함수 $A(t)=\dfrac{1}{2}\cosh t \sinh t - \int_1^{\cosh t}\sqrt{\theta^2-1}\,d\theta$의 도함수 $A'(t)$를 구하면?

① $A'(t)=\dfrac{1}{2}+\sinh^2 t$

② $A'(t)=\dfrac{1}{2}+\sinh^2 t-\sinh t$

③ $A'(t)=\dfrac{1}{2}$

④ $A'(t)=\dfrac{1}{2}+\sinh^2 t+\sinh t$

24. 함수 $B(x)=\begin{cases}\dfrac{x}{e^x-1} & (x\neq 0), \\ 1 & (x=0)\end{cases}$
의 미분계 $B'(0)$의 값은? [3]

① $-\dfrac{1}{2}$ ② $-\dfrac{1}{6}$ ③ $\dfrac{1}{6}$ ④ $\dfrac{1}{2}$

25. 모든 $|x| < 1$에 대하여
$$-\int_0^x \frac{\log(1-t)}{t}\,dt = \sum_{n=1}^{\infty} A_n x^n$$
이 성립할 때, A_{20}의 값은? [4]

① $\dfrac{1}{441}$ ② $\dfrac{1}{420}$ ③ $\dfrac{1}{400}$ ④ $\dfrac{1}{380}$

27. 실수 전체 집합에서 무한히 미분가능인 두 함수 $f(x), g(x)$의 $x=1$에서 n차 도함수의 값이 각각 $(-2)^n$, $(-3)^n$이라 할 때, $x=1$에서 $f(x)g(x)$의 8차 도함수의 값은?

① 1 ② 2^8 ③ 3^8 ④ 5^8

26. 다음 <보기>의 급수전개에서 옳은 것을 모두 고르면? (단, $|x| < 3/2$)

<보기>

(가) $\dfrac{3}{3-2x} = \sum_{n=0}^{\infty} \left(\dfrac{2}{3}\right)^n x^n$

(나) $\dfrac{6x}{(3-2x)^2} = \sum_{n=1}^{\infty} n\left(\dfrac{2}{3}\right)^n x^n$

(다)
$$-\frac{3}{2}\log(3-2x) = -\frac{3}{2}\log 3 + \sum_{n=1}^{\infty} \frac{1}{n}\left(\frac{2}{3}\right)^{n-1} x^n$$

① (가), (나)
② (가), (다)
③ (나), (다)
④ (가), (나), (다)

28. 구 $x^2 + y^2 + z^2 = 19$ 위에서 함수 $f(x,y,z) = 2x + 3y + 5z$의 최댓값은?

① $19\sqrt{3}$
② $19\sqrt{2}$
③ $38\sqrt{3}$
④ $38\sqrt{2}$

29.

영역 $ohm = \{(x,y) \in R^2 : 0 \leq y \leq x, \ x^2+y^2 \leq 1\}$

의 경계를 ∂ohm라 할 때, 다음 선적분의 값은?

$$\int_{\partial ohm} (x^3-y^3+y^2)dx + (x^3+x+2xy)dy$$

(단, ∂ohm의 방향은 시계반대 방향이다.)

① $\dfrac{\pi}{4}$

② $\dfrac{5\pi}{16}$

③ $\dfrac{5\pi}{8}$

④ $\dfrac{5\pi}{2}$

30. 다음과 같이 행렬식의 방정식이

성립하는 경우를 고르면?

$$\det\begin{pmatrix} a & b & a & b \\ 0 & a & b & a \\ 2a & 3a+2b & 3a+3b & 3a+2b \\ 3a-a+3b & & 3a-b & 3b \end{pmatrix} = 16$$

① $a = -3, \ b = \dfrac{-1}{3}$

② $a = -2, \ b = \dfrac{-1}{4}$

③ $a = -1, \ b = \dfrac{1}{12}$

④ $a = 1, \ b = \dfrac{1}{3}$

1. $\lim\limits_{x \to 0} \dfrac{\sqrt{a+\tan x} - \sqrt{a+\sin x}}{x^3} = \dfrac{1}{32}$ 이

되도록하는 양수 a의 값은? 〔3점〕

① 8   ② 16   ③ 32   ④ 64

2. 행렬 $A = \begin{pmatrix} -1 & 2 \\ -1 & 3 \end{pmatrix}$과 $x = \dfrac{1}{4}$에 대하여

$\sum\limits_{k=0}^{\infty} tr(A^k)x^{k-1}$의 값은? (단, $tr(B)$는

정사각행렬 B의 대각합(trace)이고

$A^0 = \begin{pmatrix} 1 & 0 \\ 0 & 1 \end{pmatrix}$,

$A^k = A^{k-1} \cdot A \ (k=1, 2, 3, \cdots)$이다.)

〔3.5점〕

① $\dfrac{95}{8}$ ② $\dfrac{96}{7}$ ③ $\dfrac{97}{6}$ ④ $\dfrac{98}{5}$

3. 정사각행렬 $A = \begin{pmatrix} a_1 & b_1 & c_1 & d_1 \\ a_2 & b_2 & c_2 & d_2 \\ a_3 & b_3 & c_3 & d_3 \\ a_4 & b_4 & c_4 & d_4 \end{pmatrix}$에 대하여 다음

방정식을 만족하는 상수 k의 값은?
(단, $\det B$는 정사각행렬 B의 행렬식
(determinant)을 나타낸다.) 〔3.5점〕

$$\det \begin{pmatrix} b_1+c_1+d_1 & b_2+c_2+d_2 & b_3+c_3+d_3 & b_4+c_4+d_4 \\ a_1+c_1+d_1 & a_2+c_2+d_2 & a_3+c_3+d_3 & a_4+c_4+d_4 \\ a_1+b_1+d_1 & a_2+b_2+d_2 & a_3+b_3+d_3 & a_4+b_4+d_4 \\ a_1+b_1+c_1 & a_2+b_2+c_2 & a_3+b_3+c_3 & a_4+b_4+c_4 \end{pmatrix} = k \cdot \det A$$

① -3 ② -1 ③ 1   ④ 3

4. x, y, z에 대한 다음의 일차연립방정식이
무한히 많은 해를 갖도록 하는 상수 α의 값을
모두 곱하면? 〔2.5점〕

$$\begin{cases} x + & y + 2z = -3 \\ 2x + & y + 3z = -2\alpha \\ -3x + 4y + z = \alpha^2 \end{cases}$$

① 14   ② 6   ③ -9 ④ 33

5. 직선 $\frac{x}{3}+\frac{y}{2}=1$ 위의 점 P를 통과하는 두 직선이 각각 점 A와 점 B에서 원 $x^2+y^2=1$에 접한다. 내적 $\overrightarrow{PA}\cdot\overrightarrow{PB}$의 최솟값은? 〔3.5점〕

① $\frac{115}{234}$　　② $\frac{511}{432}$　　③ $\frac{151}{342}$　　④ $\frac{151}{324}$

6. 선형사상 $T:R^2\rightarrow R^3$가
$T(-1,1)=(2,9,0)$,
$T(0,1)=(3,3,4)$, $T(a,b)=(0,21,-8)$을 만족할 때, $a+b$의 값은? 〔2.5점〕

① -2　　② 0　　③ 1　　④ 3

7. $\int_0^{\frac{\pi}{6}}\frac{\sin x\cos x}{\sin^4 x+\cos^4 x}dx=\alpha$라 할 때, $\sin(2\alpha)$의 값은? 〔4점〕

① $\frac{\sqrt{2}}{2}$　　② $\frac{\sqrt{3}}{3}$　　③ $\frac{\sqrt{5}}{5}$　　④ $\frac{\sqrt{10}}{10}$

8. 곡선 C는 점 $(0,0)$을 출발하여 점 $(0,4)$와 점 $(2,4)$를 차례로 거쳐서 점 $(0,0)$으로 돌아오도록 향(orientation)이 주어진 삼각형의 둘레이다. 선적분
$$\int_C (y\cos x-xy\sin x)dx+(xy+x\cos x)dy$$
의 값은? 〔3.5점〕

① $-\frac{16}{3}$　　② $-\frac{32}{3}$　　③ $\frac{32}{3}$　　④ $\frac{16}{3}$

9. 함수 $f(x) = (1 + x^5)^{30}$에 대하여 $\dfrac{f^{(10)}(0)}{10!}$의 값은? 〔3점〕

① 345   ② 435   ③ 543   ④ 534

11. 두 급수 $\displaystyle\sum_{n=1}^{\infty} c_n x^n$과 $\displaystyle\sum_{n=1}^{\infty} d_n x^n$의 수렴반경이 각각 2와 3일 때, 급수 $\displaystyle\sum_{n=1}^{\infty} \left(\dfrac{c_n}{5^n} + \dfrac{d_n}{4^n} \right) x^n$의 수렴반경은? 〔3.5점〕

① 10   ② 20   ③ 25   ④ 50

10. 곡면 $x^2 + y^2 = \dfrac{z^2}{4}$과 평면 $x + y + z = 1$이 만나서 이루는 곡선이 평면 $x + y + z = 1$에서 둘러싸는 영역의 넓이는? 〔4점〕

① $\dfrac{\pi}{\sqrt{2}}$ ② $\sqrt{\dfrac{2}{3}}\,\pi$ ③ π ④ $\sqrt{\dfrac{3}{2}}\,\pi$

12. 다음 선형사상 $T: R^4 \to R^3$가 차원 2인 핵(kernel)을 갖도록 a를 정하면? 〔3.5점〕

$T(x, y, z, w)$
$= (3x - 3y - z - 4w, 2x - 7y - 6w, -x + 2y + az + 2w)$

① $\dfrac{1}{3}$ ② $\dfrac{2}{3}$ ③ $\dfrac{1}{5}$ ④ $\dfrac{4}{5}$

13. $0 \le x \le 1$에서 정의된 곡선 $y = \sin^{-1}x + \sqrt{1-x^2}$의 길이는? 〔3점〕

① $\sqrt{2}$ ② $2\sqrt{2}$ ③ $2-\sqrt{2}$ ④ $4-2\sqrt{2}$

15. 모든 실수 x에 대하여 $f(-x) = f(x)$, $f(x+3) = f(x)$를 만족하는 연속함수 $f(x)$에 대하여 $\int_0^2 f(x)dx = 5$와 $\int_0^3 f(x)dx = 7$이 성립한다. 이때, $\int_{-4}^9 f(x)dx$의 값은? 〔4점〕

① 26 ② 28 ③ 30 ④ 32

14. $f(0) = 1$, $f(1) = 10$을 만족하는 이차함수 $f(x)$에 대하여 $\int \dfrac{f(x)}{x^3(x+1)^2}dx$가 유리함수일 때, $f(2)$의 값은? 〔4점〕

① 9 ② -9 ③ -19 ④ 29

16. 곡선 $C = \left\{ (x,y) \in R^2 | x = \cos t, y = \sin t, 0 \le t \le \dfrac{\pi}{4} \right\}$ 일 때, 선적분 $\int_C \dfrac{1}{x}ds$ 의 값은? (단, s는 호의 길이를 매개화한 것이다.) 〔3점〕

① $\ln(\sqrt{3}+1)$
② $\ln(\sqrt{2}+1)$
③ $\ln\sqrt{3}$
④ $\ln\sqrt{2}$

17. 세 직선 $x=0, y=0, \dfrac{x}{2}+y=1$로 둘러싸인 삼각형에 내접하는 직사각형 중 한 변이 직선 $\dfrac{x}{2}+y=1$ 위에 놓인 직사각형의 넓이의 최댓값은? 〔2.5점〕

① $\dfrac{1}{4}$ ② $\dfrac{\sqrt{2}}{4}$ ③ $\dfrac{1}{2}$ ④ $\dfrac{\sqrt{2}}{2}$

18. 극한 $\displaystyle\lim_{m,n\to\infty}\sum_{k=1}^{n}\sum_{j=1}^{m}\dfrac{\pi k}{n}sin\left(\dfrac{\pi jk}{4mn}\right)\dfrac{1}{mn}$ 의 값은? 〔3.5점〕

① $2\left(1-\dfrac{2\sqrt{2}}{\pi}\right)$ 　　　② $4\left(1-\dfrac{\sqrt{2}}{\pi}\right)$

③ $4\left(1-\dfrac{2\sqrt{2}}{\pi}\right)$ 　　　④ $2\left(1-\dfrac{\sqrt{2}}{\pi}\right)$

19. 극한 $\displaystyle\lim_{x\to 0}\dfrac{6x^2\sin x^3-6x^5+x^{11}}{x^{17}}$ 의 값은? 〔2.5점〕

① $\dfrac{1}{10}$ ② $\dfrac{1}{15}$ ③ $\dfrac{1}{20}$ ④ $\dfrac{1}{60}$

20. 좌표공간에서 평면 $z=2-\dfrac{x}{2}$와 곡면 $z=\sqrt{x^2+y^2}$ 으로 둘러싸인 비스듬한 원뿔의 옆면의 넓이를 구하면? 〔3.5점〕

① $\dfrac{32\sqrt{6}}{9}\pi$ 　　　　　② $\dfrac{16\sqrt{6}}{9}\pi$

③ $\dfrac{64\sqrt{6}}{9}\pi$ 　　　　　④ $\dfrac{64\sqrt{3}}{9}\pi$

21. $T : R^3 \rightarrow R^3$는
$T(x, y, z) = (3x + y + 2z,\ x + y,\ 2x + 4z)$로
정의된 선형사상이다. 구 $x^2 + y^2 + z^2 = 1$위의
점 (x, y, z)에 대하여 $\| (T \circ T)(x, y, z) \|$ 의
최댓값은?
(단, $\| (a, b, c) \| = \sqrt{a^2 + b^2 + c^2}$ 이고,
$(T \circ T)(x, y, z) = T(T(x, y, z))$이다.) 〔3.5점〕

① 16 ② $16 + 6\sqrt{7}$
③ $16 + 8\sqrt{7}$ ④ $16 + 9\sqrt{7}$

22. $f(x) = \dfrac{1}{\sqrt{2\pi}} e^{-\frac{x^2}{2}}$ 에 대하여

$\displaystyle \int_0^\infty \int_0^\infty (x + 2y)^2 f(x) f(y)\, dx dy$의 값은?
〔3.5점〕

① $\dfrac{5}{4} + \dfrac{4}{\pi}$ ② $\dfrac{5}{4} + \dfrac{2}{\pi}$
③ $\dfrac{5}{2} + \dfrac{4}{\pi}$ ④ $\dfrac{5}{2} + \dfrac{2}{\pi}$

23. 선형사상 $T : R^3 \rightarrow P_2(x)$, $T(e_1) = 1 - x^2$,
$T(e_2) = x + x^2$, $T(e_3) = -1 + x$를 R^3의
순서기저
$\{ e_1 = (1, 0, 0),\ e_2 = (0, 1, 0),\ e_3 = (0, 0, 1) \}$와
$P_2(x) = \{ a_0 + a_1 x + a_2 x^2 \mid a_0,\ a_1,\ a_2 \in R \}$ 의
순서기저 $\{ 1, x, x^2 \}$에 대하여 표현한
3×3행렬을 A라 하자. $A^{100} \begin{pmatrix} a_1 \\ a_2 \\ a_3 \end{pmatrix} = \begin{pmatrix} 0 \\ 0 \\ 1 \end{pmatrix}$이라 할
때, $a_1 + a_2 + a_3$의 값은? 〔4점〕

① $\dfrac{1}{3} + \dfrac{1}{3 \cdot 2^{99}}$

② $\dfrac{1}{3} + \dfrac{1}{3 \cdot 2^{100}}$

③ $\dfrac{2}{3} + \dfrac{1}{3 \cdot 2^{100}}$

④ $\dfrac{2}{3} + \dfrac{1}{3 \cdot 2^{99}}$

24. 함수 $f(x) = \det \begin{pmatrix} x & x-1 & x-2 & x-3 \\ x-1 & x-2 & x-3 & x \\ x-2 & x-3 & x & x-1 \\ x-3 & x & x-1 & x-2 \end{pmatrix}$라
할 때, 다음 중 $f(x) = 0$의 실근은? 〔3점〕

① -3 ② 3 ③ $-\dfrac{3}{2}$ ④ $\dfrac{3}{2}$

25. 값이 실수인 두 수열 $a_n, b_n (n = 0, 1, 2, \cdots)$에 대하여 다음 〈보기〉 중 참인 명제는 몇 개인가? 〔3.5점〕

〈보기〉

(가) $\displaystyle\sum_{n=0}^{\infty} a_n, \sum_{n=0}^{\infty} b_n$이 둘 다 수렴하면 $\displaystyle\lim_{n \to \infty} a_n b_n = 0$이다.

(나) $\displaystyle\sum_{n=0}^{\infty} a_n, \sum_{n=0}^{\infty} b_n$이 둘 다 수렴하면 $\displaystyle\sum_{n=0}^{\infty} a_n b_n$도 수렴한다.

(다) $\displaystyle\sum_{n=0}^{\infty} a_n, \sum_{n=0}^{\infty} b_n$이 둘 다 발산하면 $\displaystyle\sum_{n=0}^{\infty} a_n b_n$도 발산한다.

(라) $\displaystyle\sum_{n=0}^{\infty} a_n$이 수렴하고 $\displaystyle\sum_{n=0}^{\infty} b_n$이 발산하며, 모든 $n = 0, 1, 2, \cdots$에 대하여 $b_n \neq 0$이면 $\displaystyle\sum_{n=0}^{\infty} \frac{a_n}{b_n}$은 수렴한다.

① 0개　　② 1개　　③ 2개　　④ 3개

26. 좌표평면에서 $y = \dfrac{x+3}{x^3}$, $x = 1$, $x = 4$, $y = 0$으로 둘러싸인 영역을 y축을 중심으로 회전시킬 때 생기는 입체의 부피는? 〔3.5점〕

① $\dfrac{69}{16}\pi$

② $\dfrac{69}{8}\pi$

③ $2\pi\left(\ln 4 + \dfrac{9}{4}\right)$

④ $2\pi\left(\ln 16 + \dfrac{9}{2}\right)$

27. $f(x) = 3x + 2\cos x$일 때, $(f^{-1})''(2)$의 값은? 〔3점〕

① $\dfrac{2}{27}$　　② $\dfrac{2}{9}$　　③ $-\dfrac{2}{9}$　　④ $-\dfrac{2}{27}$

28. $\displaystyle\sum_{n=1}^{\infty} \tan^{-1}\left(\dfrac{\dfrac{1}{n(n+1)}}{1 + \dfrac{1}{n(n+1)}}\right)$의 값은? 〔3점〕

① $\dfrac{\pi}{2}$　　② $\dfrac{\pi}{3}$　　③ $\dfrac{\pi}{4}$　　④ $\dfrac{\pi}{6}$

29.

$$\sum_{n=0}^{\infty}(-1)^n\frac{1}{\left(\sqrt{3}\right)^{2n}}=a, \quad \sum_{n=0}^{\infty}(-1)^n\frac{1}{(2n+1)\left(\sqrt{3}\right)^{2n+1}}=b$$

라 할 때, ab의 값은? 〔3.5점〕

① $\dfrac{3\pi}{4}$　　② $\dfrac{\pi}{4}$　　③ $\dfrac{\pi}{6}$　　④ $\dfrac{\pi}{8}$

30. 벡터장 F는

$F(x,y,z)=\left(xy+xe^{z^2},\ -2y^2-ye^{z^2},\ z+x^2\right)$이고,

S는 향이 $(0,0,-1)$로 주어진 원판

$S=\left\{(x,y,z)\in R^3\,|\,x^2+y^2\le 1,\ z=0\right\}$일 때,

유량(flux) $\displaystyle\iint_S F\bullet ds$ 의 값은? 〔3.5점〕

① $-\dfrac{\pi}{4}$　　② $-\dfrac{\pi}{2}$　　③ $-\pi$　　④ 0

01. $-1 < x < 1$에서 $\sec x = \sum_{n=0}^{\infty} a_n x^n$일 때, $a_0 + a_1 + a_2 + a_3 + a_4$의 값은? 〔3.5〕

① $-\dfrac{43}{24}$　② $-\dfrac{41}{24}$　③ $\dfrac{41}{24}$　④ $\dfrac{43}{24}$

03. 방정식 $5x^2 + 2xy + 5y^2 = 12$를 만족하는 두 실수 x, y에 대하여 y의 최댓값과 최솟값의 차는? 〔3.5〕

① $\sqrt{5}$　② $\sqrt{6}$　③ $\sqrt{8}$　④ $\sqrt{10}$

02. 곡선 $x^{\frac{2}{3}} + y^{\frac{2}{3}} = 1$, $x \geq 0, y \geq 0$의 길이는? 〔3〕

① $\dfrac{2}{3}$　② $\dfrac{3}{2}$　③ $\dfrac{4}{3}$　④ $\dfrac{7}{6}$

04. 행렬 $\begin{pmatrix} 0 & 1 & 1 \\ 1 & 0 & 1 \\ 1 & 1 & 0 \end{pmatrix}$의 역행렬의 대각합은? 〔3〕

① $-\dfrac{3}{2}$　② $\dfrac{5}{2}$　③ $-\dfrac{7}{2}$　④ $\dfrac{9}{2}$

05. 반원판 $x^2 + \left(y - \dfrac{16}{3\pi}\right)^2 \le 1$, $y \ge \dfrac{16}{3\pi}$ 을 x축 중심으로 회전하여 얻은 회전체의 부피는? 〔3.5〕

① $\dfrac{25}{3}\pi$ ② $\dfrac{11\sqrt{3}\,\pi}{3}$

③ $\dfrac{5\sqrt{3}}{3}\pi$ ④ $\dfrac{20}{3}\pi$

06. 다음 〈보기〉의 급수 중에서 수렴하는 것의 개수는? 〔3.5〕

〈보기〉

(가) $\displaystyle\sum_{n=3}^{\infty} \ln\left(1 + \dfrac{1}{n^2 - 1}\right)$

(나) $\displaystyle\sum_{n=1}^{\infty} \dfrac{1}{n\left(1 + \dfrac{1}{\sqrt{2}} \cdots + \dfrac{1}{\sqrt{n}}\right)}$

(다) $\displaystyle\sum_{n=1}^{\infty} \dfrac{1}{\sqrt{n}} \ln\left(\dfrac{n+1}{n}\right)$ (라) $\displaystyle\sum_{n=1}^{\infty} \sin\left(\dfrac{1}{n}\right)$

① 1   ② 2   ③ 3   ④ 4

07. 함수 $f(x) = \sqrt[3]{1 + x^2}$ $(-1 < x < 1)$에 대하여 $f^{(6)}(0)$의 값은? 〔3.5〕

① $\dfrac{5}{81}$ ② $\dfrac{10}{27}$ ③ $\dfrac{400}{9}$ ④ $\dfrac{2000}{3}$

08. 구 $x^2 + y^2 + z^2 = 3$위의 점 P와 두 점 $A(1, 2, 3)$, $B(3, 2, 1)$을 꼭짓점으로 가지는 삼각형 ABP의 넓이의 최댓값은? 〔3.5〕

① $\sqrt{6}$ ② $2\sqrt{6}$ ③ $3\sqrt{6}$ ④ $4\sqrt{6}$

09. 행렬 $\begin{pmatrix} 78 & 3 & \pi & \sqrt{2} \\ 1675 & 67 & 6 & e \\ 3025 & 121 & 11 & 5 \\ 1100 & 44 & 4 & 2 \end{pmatrix}$ 의 행렬식은?

〔3.5〕

① 6　　② -12　　③ 24　　④ -48

11. 2×2 행렬 A에 대하여 A^3의 특성다항식(characteristic polynomial) $q(t)$가 $q(0) = -216$, $q(1) = -234$를 만족한다고 하자. A의 특성방정식을 $p(t)$라 할 때, $p(1)$의 값은? 〔3〕

① -12　　② -6　　③ 6　　④ 12

10. 선형사상 $T : R^3 \to R^3$을 다음과 같이 정하자.

$$Tv = Av, \quad A = \begin{pmatrix} 3 & 2 & 1 \\ 1 & 1 & 1 \\ 1 & 2 & 3 \end{pmatrix}, \quad v \in R^3$$

T의 치역은 R^3에서 평면을 이룬다. 이 평면에 대하여 점 $(1, 1, 1)$과 대칭인 점을 (a, b, c)라 할 때, $a+b+c$의 값은? 〔4〕

① $\dfrac{23}{12}$　　② $\dfrac{23}{9}$　　③ $\dfrac{25}{6}$　　④ $\dfrac{25}{3}$

12. 두 직선 $y = x$, $y = ex$와 두 쌍곡선 $xy = 1$, $xy = 7$에 의해 둘러싸인 제 1사분면 위의 영역을 R이라 할 때, $\iint_R xy \, dx \, dy$의 값은? 〔4〕

① 4　　② 6　　③ 12　　④ 15

13. 세 벡터 $w_1 = (1, 0, 0, 0)$, $w_2 = (1, 1, 1, 0)$, $w_3 = (1, 2, 0, 1)$에 그람-슈미트 과정(Gram-Schmdit process)을 적용하여 얻은 정규직교 벡터 (orthonormal vectors)가 $u_1 = (1, 0, 0, 0)$, $u_2 = (0, a, a, b)$, $u_3 = (0, c, d, c)$일 때 $a^2 + b^2 + c^2 + d^2$의 값은? 〔2.5〕

① $\dfrac{5}{6}$ ② $\dfrac{7}{6}$ ③ $\dfrac{11}{12}$ ④ $\dfrac{13}{12}$

14. 반지름이 1인 원에 외접하는 정 n각형과 내접하는 정 n각형의 넓이 차를 A_n이라 하자. $\lim\limits_{n\to\infty} n^k A_n$이 존재하도록 하는 상수 k에 대하여 $\lim\limits_{n\to\infty} n^k A_n = \alpha$라 할 때, α^k의 값은? 〔3.5〕

① π^2 ② π^3 ③ π^6 ④ π^{12}

15. 점 $(1, 1, 0)$에서 곡면 $z = x^2 + y^2$에 그은 접선들과 곡면 $z = x^2 + y^2$으로 둘러싸인 영역의 부피는? 〔4〕

① π ② $\dfrac{2}{3}\pi$ ③ $\dfrac{1}{2}\pi$ ④ $\dfrac{5}{6}\pi$

16. 극한 $\lim\limits_{x\to 0} \dfrac{\sin x - \tan^{-1} x}{x^3}$의 값은? 〔2.5〕

① $\dfrac{1}{6}$ ② $\dfrac{1}{4}$ ③ $\dfrac{1}{3}$ ④ $\dfrac{1}{2}$

17. $x > 1$에서 정의된 곡선 $y = \dfrac{\sqrt{2}}{x-1}$ 위의 점 P를 포함하는 두 직선이 각각 점 A와 점 B에서 원 $x^2 + y^2 = 1$에 접한다. 내적 $\overrightarrow{PA} \cdot \overrightarrow{PB}$의 최솟값은? 〔3.5〕

① $\dfrac{7}{3}$ ② $\dfrac{8}{3}$ ③ $\dfrac{10}{3}$ ④ $\dfrac{11}{3}$

19. $\displaystyle\int_0^\infty \dfrac{x + x \ln x}{1 + x^4}\,dx$의 값은? 〔4〕

① $\dfrac{\pi - 2}{4}$ ② $\dfrac{\pi - 1}{4}$

③ $\dfrac{\pi}{4}$ ④ $\dfrac{\pi + 1}{4}$

18. 함수 $f(x, y) = \displaystyle\int_{xy}^{x^2 + y^2} e^{t^2}\,dt$의 편미분계수 $\dfrac{\partial f}{\partial x}(1, 1)$의 값은? 〔3〕

① $e^4 - 2e$ ② $e^4 - e$

③ $2e^4 - 2e$ ④ $2e^4 - e$

20. $x > 0$, $y > 0$에서 정의된 $x^4 + y^4 = 16$에 대하여 $x = 1$에서 $\dfrac{d^2 y}{dx^2}$의 값은? 〔3.5〕

① $-\dfrac{2^4}{3^{\frac{3}{4}} 5^{\frac{7}{4}}}$ ② $-\dfrac{2^5}{3^{\frac{3}{4}} 5^{\frac{7}{4}}}$

③ $-\dfrac{2^4}{3^{\frac{5}{4}} 5^{\frac{7}{4}}}$ ④ $-\dfrac{2^5}{3^{\frac{5}{4}} 5^{\frac{7}{4}}}$

21. 좌표평면에서 $y = x^4 - x^5$과 $y = 0$으로 둘러싸인 영역을 y축을 중심으로 회전시킬 때 생기는 입체의 부피는? 〔3.5〕

① $\dfrac{\pi}{23}$ ② $\dfrac{\pi}{22}$ ③ $\dfrac{\pi}{21}$ ④ $\dfrac{\pi}{20}$

23. 행렬 $A = \begin{pmatrix} 1 & -2 \\ 2 & -1 \end{pmatrix}$에 대하여

$\displaystyle\sum_{k=1}^{\infty} \det\left(A^k\right) k \left(\frac{1}{4}\right)^{k-1}$의 값은? 〔3〕

(단, $\det(B)$는 정사각행렬 B의 행렬식을 나타낸다.)

① 16   ② 24   ③ 48   ④ 72

22. $\displaystyle\sum_{k=0}^{\infty} (k+1)(k+2)\left(\frac{1}{2}\right)^{\frac{k}{2}}$의 값은? 〔3〕

① $38 + 26\sqrt{2}$ ② $38 + 28\sqrt{2}$
③ $40 + 26\sqrt{2}$ ④ $40 + 28\sqrt{2}$

24. 행렬 $A = \begin{pmatrix} 9 & 1 & 1 \\ -1 & -9 & 1 \\ 3 & 0 & 0 \end{pmatrix}$에 대하여 $\det(A^3 - 81A)$의 값은? (단, $\det B$는 정사각행렬 B의 행렬식(determinant)을 나타낸다.) 〔3.5〕

① $2^7 3^3 5$ ② $2^6 3^4 5$ ③ $2^8 3^3 5$ ④ $2^8 3^4 5$

25. 곡면 $x^2 - xyz + z^3 = 1$이 있다. 이 곡면 위의 점 $(1,1,1)$에서의 접평면과 z축의 교점의 좌표는? 〔2.5〕

① $\left(0, 0, \dfrac{3}{4}\right)$ 　② $(0,0,1)$

③ $\left(0, 0, \dfrac{5}{4}\right)$ 　④ $\left(0, 0, \dfrac{3}{2}\right)$

27. $\displaystyle\int_0^1 \int_{\sqrt{x}}^1 \sqrt{y^3 + 2}\, dy\, dx$의 값은? 〔3.5〕

① $\dfrac{2}{3}\sqrt{3} - \dfrac{5}{9}\sqrt{2}$ 　② $\dfrac{2}{3}\sqrt{3} - \dfrac{4}{9}\sqrt{2}$

③ $\dfrac{2}{3}\sqrt{3} - \dfrac{2}{9}\sqrt{2}$ 　④ $\dfrac{2}{3}\sqrt{3} - \dfrac{1}{9}\sqrt{2}$

26. 선형사상 $T: R^3 \to R^3$은
$T(x,y,z) = (x + 2y + 3z,\ 2x + y,\ 3x + 2z)$로 정의된다. 구 $x^2 + y^2 + z^2 = 1$위의 점 (x,y,z)에 대하여 $\| T(x,y,z) \|$의 최솟값은?
〔3.5〕
(단, $\| (a,b,x) \| = \sqrt{a^2 + b^2 + c^2}$ 이다.)

① $\dfrac{\sqrt{13} - 2}{2}$ 　② $\dfrac{\sqrt{13} - 1}{2}$

③ $\dfrac{\sqrt{13} + 1}{2}$ 　④ $\dfrac{\sqrt{13} + 2}{2}$

28. $0 \le t \le \pi$에서 정의된 곡선 C는 $r(t) = (e^t \sin t,\ e^t \cos t)$로 주어지고 $t = 0$에서 출발하여 $t = \pi$에서 끝난다.
벡터장 $F(x,y) = (3 + 2xy,\ x^2 - 3y^2)$에 대하여 선적분 $\displaystyle\int_C F \cdot dr$의 값은? 〔3.5〕

① $e^{3\pi} + 1$ 　② $e^{3\pi} + 2$

③ $e^{5\pi} + 1$ 　④ $e^{5\pi} + 2$

29. 두 평면 $z = 0$, $z = 3$과 원기둥 $x^2 + y^2 = 1$로 둘러싸인 영역 R의 경계를 S라 하자. 이 때, 곡면 S에 대한 벡터장 $F = \left(xe^{x^2+y^2}, ye^{x^2+y^2}, ze^{x^2+y^2} \right)$의 유량 $\iint_S F \cdot dS$의 값은? 〔4〕

① $2\pi(2e-1)$ ② $3\pi(2e-1)$

③ $2\pi(3e-1)$ ④ $3\pi(3e-1)$

30. 행렬 $A = \begin{pmatrix} 3 & 0 & 1 \\ 0 & 2 & 0 \\ 0 & 2 & 1 \end{pmatrix}$에 대하여 A^3의 고윳값의 합은? 〔3〕

① 34   ② 35   ③ 36   ④ 37

01. 선형변환 $T: R^3 \to R^3$가

$$T\begin{pmatrix}1\\0\\0\end{pmatrix} = \begin{pmatrix}1\\2\\2\end{pmatrix}, \quad T\begin{pmatrix}1\\1\\0\end{pmatrix} = \begin{pmatrix}-4\\5\\1\end{pmatrix}, \quad T\begin{pmatrix}1\\1\\1\end{pmatrix} = \begin{pmatrix}5\\-3\\1\end{pmatrix}$$을

만족한다고 하자. T의 핵(kernel)에 속하는

점과 점 $\begin{pmatrix}1\\-2\\3\end{pmatrix}$ 사이의 최소 거리는? [3.5]

① $\sqrt{8}$

② $\sqrt{10}$

③ $\sqrt{12}$

④ $\sqrt{14}$

02. 세 부등식 $x^{\frac{2}{3}} + y^{\frac{2}{3}} \leq 1, \, x \geq 0, \, y \geq 0$에
의해서 정의되는 영역의 넓이는? [4]

① $\dfrac{3\pi}{16}$

② $\dfrac{3\pi}{32}$

③ $\dfrac{\pi}{8}$

④ $\dfrac{5\pi}{64}$

03. 행렬 $\begin{pmatrix}0.1 & 0.2 & -0.1\\0.1 & 0 & 0.2\\0.4 & 0.4 & 0.5\end{pmatrix}$의 고윳값 α, β, γ에

대하여 $\dfrac{3}{\alpha} + \dfrac{3}{\beta} + \dfrac{3}{\gamma}$의 값은? [3.5]

① 3

② 4

③ 5

④ 6

04. 곡선 $3y^2 = x^3$ 위의 점과 점 $(0, \sqrt{3})$ 사이의
최소 거리는? [3.5]

① $\sqrt{\dfrac{7}{3}}$

② $\sqrt{\dfrac{5}{3}}$

③ $\sqrt{\dfrac{4}{3}}$

④ $\sqrt{\dfrac{2}{3}}$

05. $\int_0^1 \int_{\sqrt{y}}^1 e^{x^3} dx dy$의 값은? [3]

① $\frac{1}{2}(e-1)$

② $\frac{1}{2}(e+1)$

③ $\frac{1}{3}(e-1)$

④ $\frac{1}{3}(e+1)$

07. 두 부등식

$x^2 + y^2 \geq 4$, $x^2 + (y-\sqrt{3})^2 \leq 1$을 만족하는 점들이 이루는 영역의 넓이는? [4]

① $\sqrt{3} - \frac{\pi}{6}$

② $\sqrt{6} - \frac{\pi}{3}$

③ $\sqrt{3} - \frac{\pi}{4}$

④ $\sqrt{6} - \frac{\pi}{4}$

06. $\begin{pmatrix} 1 & 0 \\ 1.5 & 0.5 \end{pmatrix}^n = \begin{pmatrix} a_n & b_n \\ c_n & d_n \end{pmatrix}$이라 할 때,

$\lim_{n \to \infty} (a_n + b_n + c_n + d_n)$의 값은? [3.5]

① 1

② 2

③ 3

④ 4

08. x축 위의 점 $P(t,0)$과 두 점 $A(0,2)$, $B(5,7)$을 꼭짓점으로 가지는 삼각형 APB에서 각 APB가 가장 커지도록 하는 실수 t는? (단, $0 \leq t \leq 5$)

① $5\sqrt{2} - 7$

② $7\sqrt{2} - 5$

③ $2\sqrt{5} - 2$

④ $2\sqrt{7} - 2$

09. $(x+3y-5)^2 + (x-y-1)^2 + (x+y)^2$의 최솟값은? [3]

① 2
② 3
③ 6
④ 12

11. 모든 성분이 실수인 $m \times n$행렬 A에 대하여 A의 영공간(null space)과 A^T의 영공간은 그 차원이 각각 7, 2이고 $A^T A$는 차원이 k인 영공간을 갖는다고 하자. $m-n+k$의 값은? (여기서, A^T는 A의 전치행렬이다.) [3]

① -5
② -2
③ 2
④ 5

10. 차수가 2 이하인 다항식을 이루어진 벡터공간 P_2에 정의된 선형사상 $T: P_2 \to P_2$가 주어져 있다. 순서기저(ordered basis) $B = \{1+t^2,\ t+t^2,\ 1+2t+t^2\}$에 대한 T의 행렬 표현이 다음과 같고 $[T]_B = \begin{pmatrix} 3 & 4 & 0 \\ 0 & 5 & -1 \\ 1 & -2 & 7 \end{pmatrix}$ $p(t) = T(1+t+t^2)$라 할 때, $p(-1)$의 값은? [3.5]

① 0
② 1
③ 2
④ 3

12. 미분가능한 두 함수 f, g가 $f'(x) = 1 + [f(x)]^2$과 $f(g(x)) = x$를 만족할 때, $g'(2)$의 값은? [3]

① $\dfrac{1}{12}$
② $\dfrac{1}{10}$
③ $\dfrac{1}{5}$
④ $\dfrac{1}{2}$

13. 곡선 $y = x^{\sin x}$ 위의 점 $\left(\frac{\pi}{2}, \frac{\pi}{2} \right)$ 에서의 접선의 기울기는? [2.5]

① $\frac{1}{6}$

② $\frac{1}{3}$

③ $\frac{1}{2}$

④ 1

14. 곡면 $x^4 + y^4 + z^4 - 3x^2 y^2 z^2 = 0$ 위의 점 $(1, 1, \sqrt{2})$ 에서의 접평면은 z 축과 점 $(0, 0, a)$ 에서 만난다. a 의 값은? [3]

① $-3\sqrt{2}$

② $-\sqrt{2}$

③ $\sqrt{2}$

④ $3\sqrt{2}$

15. 극한 $\lim_{x \to 0} \frac{\sinh x - x}{x^3}$ 의 값은? [2.5]

① $\frac{1}{12}$

② $\frac{1}{6}$

③ $\frac{1}{4}$

④ $\frac{1}{3}$

16. 점 $(1, 4)$ 와 곡선 $y^2 = 2x$ 위의 점 (x, y) 사이의 거리의 최솟값은? [3]

① $\frac{3\sqrt{5}}{5}$

② $\frac{4\sqrt{5}}{5}$

③ $\sqrt{5}$

④ $\frac{6\sqrt{5}}{5}$

17. 곡선 $y = \dfrac{2}{x^3 - x^2 - x + 1}$ 와 세 직선

$y = 0$, $x = 0$, $x = \dfrac{1}{2}$ 로 둘러싸인 영역을 y축을 중심으로 회전하여 얻은 회전체의 부피는? [4]

① $\pi(2 - \ln 2)$
② $\pi(2 - \ln 3)$
③ $\pi(3 - \ln 2)$
④ $\pi(3 - \ln 3)$

18. 타원 $x^2 + \dfrac{y^2}{4} = 1$에 내접하는 직사각형의 넓이의 최댓값은? [3]

① $\dfrac{15}{4}$
② 4
③ $\dfrac{17}{4}$
④ $\dfrac{9}{2}$

19. $\displaystyle\int_{\frac{\pi}{3}}^{\frac{\pi}{2}} \dfrac{1}{1 + \sin x - \cos x}\, dx$의 값은? [4]

① $\ln \dfrac{1 + \sqrt{2}}{2}$
② $\ln \dfrac{1 + \sqrt{3}}{2}$
③ $\ln \dfrac{2 + \sqrt{2}}{2}$
④ $\ln \dfrac{2 + \sqrt{3}}{2}$

20. 다음 <보기>의 급수 중에서 수렴하는 것의 개수는? [3]

(가) $\displaystyle\sum_{n=2}^{\infty} \dfrac{1}{n(\ln n)^2}$ (나) $\displaystyle\sum_{n=1}^{\infty} \left(\dfrac{2n+3}{3n+2}\right)^n$

(다) $\displaystyle\sum_{n=1}^{\infty} (-1)^n \dfrac{\sqrt{n}\,\ln(1+n)}{n+1}$ (라) $\displaystyle\sum_{n=1}^{\infty} \sin\left(\dfrac{1}{n}\right)$

① 1
② 2
③ 3
④ 4

21. 함수 $f(x) = \sum_{n=1}^{\infty} \frac{x^n}{n}$ 에 대하여 $f\left(\frac{1}{2}\right)$의 값은? [3]

① $\ln \frac{3}{2}$

② $\ln 2$

③ $\ln \frac{5}{2}$

④ $\ln 3$

23. 영역 $x^2 + y^2 \leq 4$에서 함수 $f(x,y) = e^{-x^2 - y^2}(x^2 + 2y^2)$의 최댓값은? [3.5]

① $\frac{2}{e}$

② $\frac{4}{e^2}$

③ $\frac{6}{e^2}$

④ $\frac{8}{e^4}$

22. 미분가능한 함수 $f(x)$가 다음 두 조건을 만족한다.

(i) 모든 실수 x, y에 대하여
$$f(x+y) = f(x) + f(y) + x^2 y + x y^2$$

(ii) $\lim_{x \to 0} \frac{f(x)}{x} = 1$

이 때 $f(3)$의 값은? [3.5]

① 10

② 12

③ 14

④ 16

24. $\int_0^4 \int_{\sqrt{x}}^2 \frac{1}{y^3 + 1} dy dx$의 값은? [3.5]

① $\frac{1}{3} ln2$

② $\frac{1}{3} ln3$

③ $\frac{2}{3} ln2$

④ $\frac{2}{3} ln3$

25. $0 \le t \le 1$에서 정의된 곡선 C는
$r(t) = \left(e^t \cos t, \ e^t \sin t \right)$로 주어지고 $t = 0$에서
출발하여 $t = 1$에서 끝난다. 벡터장
$F(x, y) = \dfrac{(-y, \ x)}{x^2 + y^2}$에 대하여 선적분

$\displaystyle \int_C F \cdot dr$의 값은? [3.5]

① 1

② $\dfrac{3}{2}$

③ 2

④ $\dfrac{5}{2}$

27. 세 평면 $z = 0, \ y = 0, \ y = 2$와 곡면
$z = 1 - x^2$으로 둘러싸인 영역 R의 경계를 S라
하자. 이 때 벡터장
$F(x, y, z) = (x + \sin y, \ 2y + \cos x, \ 3z)$에 대하여

$\displaystyle \iint_S F \cdot dS$의 값은? [3.5]

① 13

② 14

③ 15

④ 16

26. 구면 $S : x^2 + y^2 + z^2 = 4$에 대하여
$\displaystyle \iint_S \frac{dS}{\sqrt{x^2 + y^2 + (z-1)^2}}$ 의 값은? [4]

① $8\pi - 1$

② 8π

③ $8\pi + 1$

④ $8\pi + 2$

28. $B : x^2 + y^2 + z^2 \le 1$에 대하여
$\displaystyle \iiint_B e^{(x^2 + y^2 + z^2)^{\frac{3}{2}}} dV$의 값은? [3.5]

① $\dfrac{4}{3}\pi(e - 1)$

② $\dfrac{5}{3}\pi(e - 1)$

③ $\dfrac{4}{3}\pi(e + 1)$

④ $\dfrac{5}{3}\pi(e + 1)$

29. $f(x,y)= xe^{x^2+y^2}\sin(y^2)$에 대하여

$\nabla f(1,1)= (a,b)$라 할 때, $\dfrac{b}{a}$의 값은? (단,

$\nabla f(1,1)$는 $(1,1)$에서 f의 기울기 벡터이다.)
[2.5]

① $\dfrac{2}{3}(1+\tan(1))$

② $\dfrac{2}{3}(2+\tan(1))$

③ $\dfrac{2}{3}(1+\cot(1))$

④ $\dfrac{2}{3}(2+\cot(1))$

30. 행렬 $\begin{pmatrix} 3&1&0&0&0 \\ 1&2&0&0&0 \\ 0&0&1&1&0 \\ 0&0&1&3&1 \\ 0&0&2&0&2 \end{pmatrix}$의 행렬식은? [2.5]

① 24

② 26

③ 28

④ 30

SKILL_MATH
스킬편입수학 연구소

편입 수학
중앙 대학교
5개년 기출

공과 대학

SKILL_MATH

1. $\lim\limits_{x \to 0} \dfrac{x \sin(x^2)}{\tan^3 x}$ 을 계산하면?

① 0

② 1

③ $\dfrac{1}{2}$

④ $\dfrac{1}{3}$

3. $x > 0$에서 정의된 함수 $x^{x^{-2}}$의 극값이 최솟값인지 최댓값인지 말하고 그 값을 구하여라.

① 최솟값, $e^{\frac{1}{2e}}$

② 최댓값, $e^{\frac{1}{2e}}$

③ 최솟값, $e^{\frac{1}{e}}$

④ 최댓값, $e^{\frac{1}{e}}$

2. R^3의 세 벡터 $(3-k, -1, 0)$, $(-1, 2-k, -1)$, $(0, -1, 3-k)$

가 일차종속이 되도록 하는 k의 값을 모두 더하면?

① 5

② 8

③ 10

④ 12

4. $\displaystyle\int_0^1 \int_0^{\sqrt{1-x^2}} \int_{\sqrt{x^2+y^2}}^{\sqrt{2-x^2-y^2}} x \, dz \, dy \, dx$ 를 계산하면?

① $\dfrac{\pi - 2}{2}$

② $\dfrac{\pi - 2}{4}$

③ $\dfrac{\pi - 2}{8}$

④ $\dfrac{\pi - 2}{16}$

5. A, A^2, A^3의 대각합이 각각 $2, 10, 20$인 3×3 행렬 A의 행렬식의 값은?

① 3
② 6
③ 2
④ -2

6.
$x + y + 2z = 2$와 $z = x^2 + y^2$을 만족하는 실수 x, y, z에 대하여 $e^{x^2 + y^2 + z^2}$의 최댓값을 구하면?

① e^3
② e^6
③ e^8
④ e^{10}

7. $x - 2y + 3z = 0$을 만나지 않는 직선이 점 $(4, -5, 6)$과 평면$(0, 0, a)$를 지날 때, $3a$의 값은?

① 32
② 16
③ 8
④ 4

8. 타원 $x^2 + 4y^2 = 5$위의 점 (a, b)에서의 접선이 두 점 $(3, 2)$와 $(c, 0)$를 통과할 때, $a + b + c$의 값은? ($b > 0$이다.)

① -5
② -8
③ -10
④ -12

9. 다음 <보기> 중 수렴하는 급수의 개수는?

ㄱ. $\displaystyle\sum_{n=1}^{\infty}(-1)^{n+1}\frac{7n+1}{n\sqrt{n}}$

ㄴ. $\displaystyle\sum_{n=1}^{\infty}\frac{\ln n}{n\sqrt{n}}$

ㄷ. $\displaystyle\sum_{n=2}^{\infty}\frac{3}{n\sqrt{2\ln n+3}}$

ㄹ. $\displaystyle\sum_{n=1}^{\infty}\arcsin\left(\frac{1}{n\sqrt{n}}\right)$

① 1개
② 2개
③ 3개
④ 4개

11. 박테리아의 수가 처음에는 P_0이었다가 1시간이 지나자 $2P_0$로 증가하였다고 하자. 박테리아 수의 증가속도가 시간 t에서의 박테리아의 수 $P(t)$에 비례한다면, 박테리아의 수가 (P_0이었던 시점을 기준으로) 10배 증가하는데 소요되는 시간은 얼마인가?

① $\log_2 5$시간
② $\log_2 10$시간
③ $\log_e 5$시간
④ $\log_e 10$시간

10. $0 \le t \le 1$에서 정의된 곡선
$$c(t)=(\sqrt{t},\arcsin t,t^5)$$과 벡터장
$$F(x,y,z)=(e^x\sin y,e^x\cos y,z^2)$$에 대한
선적분 $\displaystyle\int_c F\bullet ds$의 값은?

① $e+1$
② $e+\dfrac{2}{3}$
③ $e+\dfrac{1}{3}$
④ $e+\dfrac{1}{6}$

12. 연립 미분 방정식
$$x'(t)=t-y(t),\ y'(t)=x(t)-t,\ x(0)=3,\ y(0)=3$$
을 만족하는
$x(t),y(t)$에 대하여 $x(\pi)+y(\pi)$의 값은?

① $-2\pi-6$
② $-2\pi-4$
③ $2\pi-6$
④ $2\pi-4$

13. $y=y(x)$가 미분방정식 $y'-y=y^2$,

$y(0)=3$의 해일 때, $y(1)$의 값은?

① $\dfrac{3e}{4+3e}$

② $\dfrac{3e}{4-3e}$

③ $\dfrac{4e}{4e+3e}$

④ $\dfrac{4e}{4e-3e}$

15. $y=y(x)$가 미분방정식 $xy'-x^2\sin x=y$,

$y(\pi)=0$의 해일 때

$y(2\pi)$의 값은?

① -4π

② -2π

③ 2

④ 2π

14. 다음 중에서

$(\sin 2t)dx+(2x\cos 2t-2t)dt=0$의 해는?

① $x\cos 2t+t^2=c$

② $x\cos 2t-t^2=c$

③ $x\sin 2t+t^2=c$

④ $x\sin 2t-t^2=c$

16. $y=y(x)$가 미분방정식

$y''-2y'+y=e^x$, $y(0)=0$, $y'(0)=0$의 해일 때,

$y(4)$의 값은?

① e^4

② $2e^2$

③ $4e^4$

④ $8e^4$

17. 미분방정식

$(x^2+4x+4)y'' + (3x+6)y' + 2y = 0$의 해는?

① $y = (x+2)^{-1}\{c_1\cos[\ln(x+2)] + c_2\sin[\ln(x+2)]\}$

② $y = (x+2)^{-1}\{c_1\cos[2\ln(x+2)] + c_2\sin[2\ln(x+2)]\}$

③ $y = (x+2)^{0.5}\{c_1\cos[\ln(x+2)] + c_2\sin[\ln(x+2)]\}$

④ $y = (x+2)^{0.5}\{c_1\cos[2\ln(x+2)] + c_2\sin[2\ln(x+2)]\}$

19. $F(s) = \dfrac{1}{s^3+s^2+3s-5}$ 의 $\mathcal{L}$ 역변환 $f(t)$의 식으로 올바른 것은?

① $\dfrac{1}{8}e^t + \dfrac{1}{8}e^{-t}\cos2t + \dfrac{1}{8}e^{-t}\sin2t$

② $\dfrac{1}{8}e^t + \dfrac{1}{8}e^{-t}\cos2t - \dfrac{1}{8}e^{-t}\sin2t$

③ $\dfrac{1}{8}e^t - \dfrac{1}{8}e^{-t}\cos2t + \dfrac{1}{8}e^{-t}\sin2t$

④ $\dfrac{1}{8}e^t - \dfrac{1}{8}e^{-t}\cos2t - \dfrac{1}{8}e^{-t}\sin2t$

18. $x=x(t)$가 미분방정식

$x' = x\sin t + 2te^{-\cos t}, x(0) = 0$의 해일 때, $x(\pi)$의 값은?

① $\pi^{-2}e$

② $\pi^{-2}e^{-1}$

③ $\pi^2 e$

④ $\pi^2 e^{-1}$

20. 미분방정식

$y'' + y = \delta(t-2\pi), y(0) = 0, y'(0) = 1$의 해는?

① $y = \sin t + \sin t \, u(t-2\pi)$

② $y = \sin t - \sin t \, u(t-2\pi)$

③ $y = \sin t + \cos t \, u(t-2\pi)$

④ $y = \sin t - \cos t \, u(t-2\pi)$

21. $y = y(t)$가 방정식

$$y(t) - \int_0^t y(\tau)\sin(t-\tau)d\tau = t$$

의 해일 때, $y(1)$의 값은?

① $\dfrac{5}{6}$

② $\dfrac{7}{6}$

③ $\dfrac{11}{6}$

④ $\dfrac{13}{6}$

22. 주기가 2π인 함수 $f(x)$를 다음과 같이 정의하자.

$$f(x) = \begin{cases} e^x, & -\pi < x < 0 \\ e^{-x}, & 0 \le x < \pi \end{cases}$$

$f(x)$를 아래와 같이 복소 $Fourier$ 급수로 나타낼 때, c_n을 구하면?

$$f(x) = \sum_{n=-\infty}^{\infty} c_n e^{inx}$$

① $\dfrac{1}{\pi}\left[e^{-\pi}(-1)^n - 1\right]\left(\dfrac{1}{1+n^2}\right)$

② $\dfrac{1}{\pi}\left[1 - e^{-\pi}(-1)^n\right]\left(\dfrac{1}{1+n^2}\right)$

③ $\dfrac{1}{2\pi}\left[1 - e^{-\pi}(-1)^n\right]\left(\dfrac{1}{1+n^2}\right)$

④ $\dfrac{1}{2\pi}\left[e^{-\pi}(-1)^n - 1\right]\left(\dfrac{1}{1+n^2}\right)$

23. 함수 $f(x)$를 다음과 같이 정의하자.

$$f(x) = \begin{cases} 0, & x < 0 \\ x, & 0 \le x \le \pi \\ 0, & x > \pi \end{cases}$$

$f(x)$를 아래와 같이 $Fourier$ 적분으로 나타낼 때, $A(\alpha)$와 $B(\alpha)$가 바르게 짝지어진 것은?

$$f(x) = \dfrac{1}{\pi}\int_0^\infty [A(\alpha)\cos\alpha x + B(\alpha)\sin\alpha x]d\alpha$$

① $A(\alpha) = \dfrac{\pi\alpha\sin\pi\alpha + \cos\pi\alpha - 1}{\alpha^2}$, $B(\alpha) = \dfrac{\sin\pi\alpha + \pi\alpha\cos\pi\alpha}{\alpha^2}$

② $A(\alpha) = \dfrac{\pi\alpha\sin\pi\alpha - \cos\pi\alpha + 1}{\alpha^2}$, $B(\alpha) = \dfrac{\sin\pi\alpha - \pi\alpha\cos\pi\alpha}{\alpha^2}$

③ $A(\alpha) = \dfrac{\pi\alpha\sin\pi\alpha + \cos\pi\alpha - 1}{\alpha^2}$, $B(\alpha) = \dfrac{\sin\pi\alpha - \pi\alpha\cos\pi\alpha}{\alpha^2}$

④ $A(\alpha) = \dfrac{\pi\alpha\sin\pi\alpha - \cos\pi\alpha + 1}{\alpha^2}$, $B(\alpha) = \dfrac{\sin\pi\alpha + \pi\alpha\cos\pi\alpha}{\alpha^2}$

24. 다음 <보기> 중 주어진 복소 함수에 대한 Maclaurin 급수와 수렴반경 R이 바르게 짝지어진 것은 모두 몇 개 인가?

ㄱ. $\dfrac{1}{4-2z} = \dfrac{1}{4}\sum_{n=0}^{\infty}\dfrac{z^n}{2^n}$, $R = 2$

ㄴ. $\dfrac{1}{(1-z^2)(4+z^2)} = \sum_{n=0}^{\infty}\left[\dfrac{1}{5} + \dfrac{1}{20}\left(\dfrac{1}{4}\right)^n\right]z^{2n}$, $R = 1$

ㄷ. $\dfrac{1}{(1-z)^2} = \sum_{n=1}^{\infty}(n+1)z^n$, $R = 1$

ㄹ. $z\cos^2 z = z + \sum_{n=1}^{\infty}\dfrac{(-1)^n 2^{2n+1} z^{2n-1}}{(2n)!}$, $R = \infty$

① 1개

② 2개

③ 3개

④ 4개

25. 복소방정식 $\sinh z = -1$의 해가 아닌것은?

① $\log_e(\sqrt{2}-1)$

② $\log_e(\sqrt{2}+1)+9\pi i$

③ $\log_e(\sqrt{2}+1)-11\pi i$

④ $\log_e(\sqrt{2}-1)+7\pi i$

27. 복소 함수

$$f(z) = \frac{z^2+2z+3}{(z+1)(z^2-4)}$$ 을 중심 $z_0=1$인

Taylor 급수로 바르게 전개한 것은?

① $\displaystyle\sum_{n=0}^{\infty}\left[\frac{1}{3}\frac{(-1)^{n+1}}{2^n}-\frac{11}{12}+\frac{1}{4}\frac{(-1)^n}{3^n}\right](z-1)^n$

② $\displaystyle\sum_{n=0}^{\infty}\left[\frac{1}{3}\frac{(-1)^{n+1}}{2^n}+\frac{11}{12}+\frac{1}{4}\frac{(-1)^n}{3^n}\right](z-1)^n$

③ $\displaystyle\sum_{n=0}^{\infty}\left[\frac{1}{3}\frac{(-1)^{n}}{2^n}-\frac{11}{12}+\frac{1}{4}\frac{(-1)^n}{3^n}\right](z-1)^n$

④ $\displaystyle\sum_{n=0}^{\infty}\left[\frac{1}{3}\frac{(-1)^{n}}{2^n}+\frac{11}{12}+\frac{1}{4}\frac{(-1)^n}{3^n}\right](z-1)^n$

26. 복소수 z에 대하여 다음 <보기> 중 옳은 것은 모두 몇 개인가?

> ㄱ. $\tanh z$는 주기 πi를 가지는 주기함수 이다.
>
> ㄴ. 모든 z에 대하여 $|\sin z|^2+|\cos z|^2=1$은 항상 성립한다.
>
> ㄷ. 모든 z에 대하여 $\tan^{-1}z = \frac{1}{2\pi}\log\left(\frac{1-iz}{1+iz}\right)$는 항상 성립한다.
>
> ㄹ. $|Im(z)| \geq 1$을 만족하는 모든 z에 대하여 $|\tan z| \leq \left(1+\frac{1}{\sinh^2 1}\right)^{\frac{1}{2}}$ 은 항상 성립한다.
>
> ㅁ. 복소방정식 $e^{e^z}=1$을 만족하는 z는 존재하지 않는다.

① 1개

② 2개

③ 3개

④ 4개

28. 다음 <보기> 중 복소함수 $f(z)$에 대해 고립 특이점 z_0을 중심으로 하는 Laurent 급수를 전개하였을 때, 유수가 바르게 짝지어진 것은 몇 개인가? (단, 특이점 z_0에서 $f(z)$의 유수는 $Res(f(z), z_0)$로 나타낸다.)

> ㄱ. $f(z)=ze^{1/z}, z_0=0, Res(f(z),z_0)=\frac{1}{2}$
>
> ㄴ. $f(z)=\frac{z^2}{1+z}, z_0=-1, Res(f(z),z_0)=1$
>
> ㄷ. $f(z)=\frac{1-\cosh z}{z^3}, z_0=0, Res(f(z),z_0)=-\frac{1}{2}$
>
> ㄹ. $f(z)=\frac{1}{(2-z)^2}, z_0=2, Res(f(z),z_0)=0$

① 1개

② 2개

③ 3개

④ 4개

29. 닫힌 경로

　C는 반시계 방향으로 향이 주어진 원 $|z|=4$이다.

$$\int_C \frac{z}{e^{z^2}-1}dz \text{ 의 값은?}$$

① $4\pi i$

② $6\pi i$

③ $10\pi i$

④ $12\pi i$

30. $\displaystyle\int_0^\infty \frac{x\sin x}{(x^2+1)(x^2+4)}dx$의 값은?

① $\dfrac{\pi}{3}(e^{-1}+e^{-2})$

② $\dfrac{\pi}{3}(e^{-1}-e^{-2})$

③ $\dfrac{\pi}{6}(e^{-1}+e^{-2})$

④ $\dfrac{\pi}{6}(e^{-1}-e^{-2})$

1. $\lim\limits_{\theta \to 0} \dfrac{\tan\theta - \sin\theta}{\theta^3}$ 의 값은?

① $-\dfrac{1}{2}$

② $-\dfrac{1}{6}$

③ $\dfrac{1}{6}$

④ $\dfrac{1}{2}$

2. 세 점 $(1,0)$, $(1,2)$, $(4,1)$을 꼭짓점으로 하는 삼각형의 둘레와 내부를 T라 할 때,

$$\iint_T y^2\,dxdy$$의 값은?

① $\dfrac{3}{2}$

② $\dfrac{5}{2}$

③ $\dfrac{7}{2}$

④ $\dfrac{9}{2}$

3. 2×2 행렬 A가

$$A\begin{pmatrix} 1 \\ -1 \end{pmatrix} = \begin{pmatrix} 2 \\ -2 \end{pmatrix},\ A\begin{pmatrix} 1 \\ 1 \end{pmatrix} = \begin{pmatrix} 3 \\ 3 \end{pmatrix}$$을 만족할 때,

$A^{17}\begin{pmatrix} 11 \\ -5 \end{pmatrix} = \begin{pmatrix} x \\ y \end{pmatrix}$라 놓으면 $x-y$의 값은?

① 2^{19}

② 2^{21}

③ 3^{19}

④ 3^{21}

4. 선형변환 $T : R^4 \to R^5$를 다음과 같이 정의한다.

$$T_v = A_v,\ A = \begin{pmatrix} 2 & 0 & -2 & 4 \\ 1 & 0 & -2 & 3 \\ 0 & 4 & 2 & 1 \\ 6 & 4 & -4 & 13 \\ 2 & 4 & -2 & 7 \end{pmatrix},\ v \in R^4$$

T의 계수를 r이라 하고 T의 영공간의 차원을 n이라 할 때, $r-n$의 값은?

① 0

② 1

③ 2

④ 3

5. 곡면
$S = \left\{ (x,y,z) \in R^3 : z = \dfrac{1}{2}y^2, 0 \le x \le 1, 0 \le y \le 1 \right\}$에
대하여 곡면적분 $\displaystyle\iint_S \sqrt{1+y^2}\, dS$의 값은?

① $\dfrac{1}{3}$

② $\dfrac{2}{3}$

③ 1

④ $\dfrac{4}{3}$

7. $t > 0$일 때,

함수 $A(t) = \dfrac{1}{2}\cosh t \sinh t - \displaystyle\int_1^{\cosh t} \sqrt{\theta^2 - 1}\, d\theta$

의 도함수 $A'(t)$를 구하면?

① $A'(t) = \dfrac{1}{2} + \sinh^2 t$

② $A'(t) = \dfrac{1}{2} + \sinh^2 t - \sinh t$

③ $A'(t) = \dfrac{1}{2}$

④ $A'(t) = \dfrac{1}{2} + \sinh^2 t + \sinh t$

6. $\displaystyle\int_0^1 \sqrt{\dfrac{1-x}{1+x}}\, dx$의 값은?

① $-1 - \dfrac{\pi}{2}$

② $-1 + \dfrac{\pi}{2}$

③ $1 - \dfrac{\pi}{2}$

④ $1 + \dfrac{\pi}{2}$

8. $r(t) = \dfrac{1}{\sqrt{t}}(\cos t, \sin t, t)$일 때, 외적 $r(t) \times r'(t)$의
크기$(norm)$를 구하면?(단, $t > 0$)

① $\sqrt{1 + \dfrac{2}{t^2}}$

② $\sqrt{t + \dfrac{1}{t}}$

③ $\dfrac{1}{2}\sqrt{\dfrac{5}{t} + \dfrac{1}{t^3}}$

④ $\sqrt{1 + \dfrac{1 + \sin 2t}{t}}$

9. 함수

$$B(x) = \begin{cases} \dfrac{x}{e^x - 1} & x \neq 0 \\ 1 & x = 0 \end{cases}$$ 의 미분계수 $B'(0)$

의 값은?

① $-\dfrac{1}{2}$

② $-\dfrac{1}{6}$

③ $\dfrac{1}{6}$

④ $\dfrac{1}{2}$

11. $y = y(x)$가 미분방정식

$y' = (x+1)e^{-x}y^2$, $y(0) = 1$의 해일 때, $y(-1)$의 값은?

① $\dfrac{1}{e+1}$

② $\dfrac{1}{e-1}$

③ $\dfrac{-1}{e+1}$

④ $\dfrac{-1}{e-1}$

10. 구 $x^2 + y^2 + z^2 = 19$ 위에서

함수 $f(x,y,z) = 2x + 3y + 5z$의 최댓값은?

① $19\sqrt{3}$

② $19\sqrt{2}$

③ $38\sqrt{3}$

④ $38\sqrt{2}$

12. $x = x(t)$가 미분방정식의 해 일 때,

$$x' = x\sin t + 2te^{-\cos t}, \quad x(0) = 1$$

$x\left(\dfrac{\pi}{2}\right)$의 값은?

① $\dfrac{\pi^2}{4} + e$

② $\dfrac{\pi^2}{4} - e$

③ $-\dfrac{\pi^2}{4} + e$

④ $-\dfrac{\pi^2}{4} - e$

13. 다음 중에서
미분방정식 $y(y'-1)=xy'$, $y(0)=2$의 해는?

① $xy+\dfrac{y^2}{4}=1$

② $xy+\dfrac{y^2}{2}=2$

③ $xy-\dfrac{y^2}{2}=-2$

④ $xy+\dfrac{y^2}{4}=1$

14. 다음 2개의 집합
Φ_1,Φ_2에 대한 선형독립, 선형종속 여부를

바르게 나타낸 것은?

$\Phi_1=\{y_1(x)=\log_2 x, y_2(x)=\log_5 x, y_3(x)=\log_{10} x\}$
$\Phi_2=\{y_1(x)=\cosh x, y_2(x)=\sinh x, y_3(x)=e^x\}$

① Φ_1 : 선형독립, Φ_2 : 선형독립

② Φ_1 : 선형독립, Φ_2 : 선형종속

③ Φ_1 : 선형종속, Φ_2 : 선형독립

④ Φ_1 : 선형종속, Φ_2 : 선형종속

15. $y=y(x)$가 미분방정식
$y'+y=5e^x\cos x$, $y(0)=2$의 해일 때, $y\left(-\dfrac{\pi}{2}\right)$의

값은?

① $e^{\frac{\pi}{2}}$

② $-e^{\frac{\pi}{2}}$

③ $e^{-\frac{\pi}{2}}$

④ $-e^{-\frac{\pi}{2}}$

16. $x>0$일 때, 미분방정식 $x^3 y'''-6y=0$의 일반해를 구하면
$y=c_1 x^a+[c_2\cos(b\ln x)+c_3\sin(c\ln x)]$이다.
이 때, $a+bc$의 값은?

① 3

② 5

③ 7

④ 9

17. 연립미분방정식

$x'(t) = y(t) + e^{2t}, y'(t) = x(t) - 3e^{2t}, x(0) = -\dfrac{7}{3}$,

$y(0) = -\dfrac{5}{3}$를 만족하는 $x(t), y(t)$에 대하여의

$x(1) + y(1)$의 값은?

① $2e + 2e^2$

② $2e - 2e^2$

③ $-2e + 2e^2$

④ $-2e - 2e^2$

$g(t) = t\cos(2t)$에 대한 라플라스 변환이 $G(s)$로 주어질 때, $G(1)$의 값은?

① $-\dfrac{3}{25}$

② $-\dfrac{2}{25}$

③ $\dfrac{2}{25}$

④ $\dfrac{3}{25}$

18. $G(s) = \dfrac{e^{-2s}}{s^2(s-1)}$의 라플라스 역변환을

$g(t)$라 할 때, $g(2)$의 값은?

① -1

② 0

③ 1

④ 2

19. 함수

20. $y = y(t)$가 미적분 방정식

$\dfrac{dy}{dt} + 6y(t) + 9\displaystyle\int_0^t y(\tau)d\tau = 1$,

$y(0) = 0$의 해일 때, $y(1)$의 값은?

① $\dfrac{1}{4}e^{-3}$

② $\dfrac{1}{2}e^{-3}$

③ e^{-3}

④ $2e^{-3}$

21. 함수 $g(t) = \begin{cases} 1 & 0 \le t < 1 \\ 0 & 1 \le t < 2 \\ 1 & t \ge 2 \end{cases}$에 대한

라플라스 변환이 $G(s) = \dfrac{A}{s} + B\dfrac{e^{-s}}{s} + C\dfrac{e^{-Ds}}{s}$

로 주어질 때, 상수 A, B, C, D의 곱은?

① 2
② 4
③ -2
④ -4

23. $x > 0$에서 다음 Fourier 적분이 성립하는 $A(\alpha)$와 $B(\alpha)$가 올바르게 짝지어 진것은?

$$e^{-x}\cos x = \frac{1}{\pi}\int_0^\infty [A(\alpha)\cos\alpha x + B(\alpha)\sin\alpha x]d\alpha$$

① $A(\alpha) = \dfrac{\alpha^2 + 2}{\alpha^4 + 4}, B(\alpha) = \dfrac{\alpha^3}{\alpha^4 + 4}$

② $A(\alpha) = \dfrac{\alpha^2 - 2}{\alpha^4 + 4}, B(\alpha) = \dfrac{\alpha^3}{\alpha^4 + 4}$

③ $A(\alpha) = \dfrac{\alpha^2 - 2}{\alpha^4 + 4}, B(\alpha) = \dfrac{2\alpha^3}{\alpha^4 + 4}$

④ $A(\alpha) = \dfrac{\alpha^2 + 2}{\alpha^4 + 4}, B(\alpha) = \dfrac{2\alpha^3}{\alpha^4 + 4}$

22. 주기가 1인 함수 $f(x)$를 다음과 같이 정의하자.

$$f(x) = \begin{cases} 0, & \dfrac{-1}{2} < x \le 0 \\ 1, & 0 < x < \dfrac{1}{4} \\ 0, & \dfrac{1}{4} \le x < \dfrac{1}{2} \end{cases}$$

$f(x)$를 복소 Fourier 급수
$f(x) = \displaystyle\sum_{n=-\infty}^{\infty} c_n e^{i2\pi nx}$로 나타낼때, c_n
을 구하면? (단, $n \ne 0$)

① $\dfrac{i}{2\pi n}[(-i)^n - 1]$

② $\dfrac{i}{2\pi n}[-i^n + 1]$

③ $\dfrac{i}{2\pi n}[i^n + 1]$

④ $\dfrac{i}{2\pi n}[(-i)^n + 1]$

24. 다음 <보기>중 Taylor 급수와 수렴영역이 올바르게 짝지어진 것은 모두 몇 개인가?

ㄱ. $\dfrac{1}{z} = \displaystyle\sum_{k=0}^{\infty}(-1)^k\dfrac{(z-1-i)^k}{(1+i)^{k+1}}, |z-(1+i)| < \sqrt{2}$

ㄴ. $\dfrac{1}{3-z} = \displaystyle\sum_{k=0}^{\infty}\dfrac{(z-2i)^k}{(3-2i)^{k+1}}, |z-2i| < \sqrt{13}$

ㄷ. $\dfrac{1+z}{1-z} = -1 + 2\displaystyle\sum_{k=1}^{\infty}\dfrac{(z-i)^k}{(1-i)^{k+1}}, |z-i| < \sqrt{2}$

ㄹ. $\dfrac{z}{1-z-z^2} = \dfrac{1}{\sqrt{5}}\displaystyle\sum_{k=1}^{\infty}\left[\left(\dfrac{2}{\sqrt{5}-1}\right)^k - \left(\dfrac{-2}{\sqrt{5}+1}\right)^k\right]z^k, |z| < \dfrac{\sqrt{5}-1}{2}$

① 1개
② 2개
③ 3개
④ 4개

25. $\cos^{-1}(2i)$를 나타내는 값이 아닌 것은?

① $\dfrac{5}{2}\pi - i\log_e(\sqrt{5}+2)$

② $\dfrac{7}{2}\pi + i\log_e(\sqrt{5}-2)$

③ $\dfrac{3}{2}\pi - i\log_e(\sqrt{5}-2)$

④ $\dfrac{11}{2}\pi + i\log_e(\sqrt{5}+2)$

27. 복소함수

$$f(z) = e^z\cos z$$를 $Maclaurin$ 급수 $f(z) = 1 + \sum_{k=1}^{\infty} a_k z^k$ 로

전개하였을 때, $\dfrac{a_{20}}{a_{21}}$ 의 값은?

① $-21\sqrt{2}$
② -21
③ 21
④ $21\sqrt{2}$

26. 다음 <보기>중 옳은 것은 모두 몇 개인가? (단, $z = x + yi$이다.)

ㄱ. 주치 로그에서 $(1+i)^{(2+i)}$의 실수부는 $e^{\left(\log_e 2 - \frac{\pi}{4}\right)}$

$\cos\left(\log_e\sqrt{2} + \dfrac{\pi}{2}\right)$이다.

ㄴ. 모든 z에 대하여 $\sin\bar{z} = \overline{\sin z}$는 항상 성립한다.

(단, $\bar{z}$와 $\overline{\sin z}$는 z와 $\sin z$의 켤레복소수이다.)

ㄷ. 복소함수 $f(z) = \sin x\cosh y + i\cos x\sinh y$는
모든 z에 대하여 해석적인 완전함수이다.

ㄹ. 복소함수 $g(z) = \dfrac{\cos z - \cos 2z}{z^6}$는 $z = 0$에서
차수가 4인 극을 가진다.

ㅁ. 복소사상 $w = \dfrac{1}{z}$에 의한 $\{|z|^2 \leq 2Im(z)\}$

(단, $z \neq 0$)의 상($image$)은 $\left\{Im(w) \leq -\dfrac{1}{2}\right\}$이다.

① 2개
② 3개
③ 4개
④ 5개

28. C를 원 $|z| = \dfrac{3}{4}$이라 할 때,
$$\int_C \left(\frac{\cos z}{z^3 - z^2} + \frac{e^{i\pi z}}{2z^2 - 5z + 2} \right) dz$$
를 계산하면?

① $2\pi\left(\dfrac{2}{3} + i\right)$

② $2\pi\left(\dfrac{1}{3} + i\right)$

③ $2\pi\left(\dfrac{2}{3} - i\right)$

④ $2\pi\left(\dfrac{1}{3} - i\right)$

29. $\int_0^{2\pi} \dfrac{\cos^2 3\theta}{5 - 4\cos 2\theta}\, d\theta$ 의 값은?

① $\dfrac{3}{4}\pi$

② $\dfrac{3}{8}\pi$

③ $\dfrac{3}{16}\pi$

④ $\dfrac{3}{32}\pi$

30. $\int_{-\infty}^{\infty} \dfrac{x^2}{1 + x^4}\, dx$ 의 값은?

① $\dfrac{\sqrt{2}}{8}\pi$

② $\dfrac{\sqrt{2}}{4}\pi$

③ $\dfrac{\sqrt{2}}{2}\pi$

④ $\sqrt{2}\,\pi$

1. 타원 $5x^2 + 8xy + 5y^2 = 1$의 장축의 길이는? [4점]

① $\dfrac{2}{3}$　　　② 1　　　③ 2　　　④ 4

2. 곡면 $x^2 y^3 z = 6\sqrt{3}, (x, y, z > 0)$ 위의 점과 원점 사이의 거리의 최솟값은? [3.5점]

① $\sqrt{3}$　　② $\sqrt{6}$　　③ $2\sqrt{3}$　　④ $3\sqrt{3}$

3. 극좌표로 표현된 곡선
$r = 1 + \cos\theta, \left(0 \le \theta \le \dfrac{\pi}{2}\right)$와 x축, y축으로
둘러싸인 부분의 넓이를 구하면? [3점]

① $\dfrac{3\pi}{8} + 1$

② $\dfrac{\pi}{2} + 1$

③ $\dfrac{5\pi}{8} + 1$

④ $\dfrac{5\pi}{8} + \dfrac{1}{2}$

4. $A = \begin{pmatrix} 3 & \sqrt{2} & 0 & 0 \\ \sqrt{2} & 2 & 0 & 0 \\ 0 & 0 & 1 & \sqrt{2} \\ 0 & 0 & \sqrt{2} & 2 \end{pmatrix}, x = \begin{pmatrix} x_1 \\ x_2 \\ x_3 \\ x_4 \end{pmatrix} \in R^4$ 일 때

$x \ne 0$에 대하여 $\dfrac{x^T A^T A x}{x^T x}$의 최댓값은? (단,
A^T와 x^T는 각각 A와 x의
전치(transpose)행렬이다.) [3점]

① 5　　　② 9　　　③ 10　　　④ 16

5. $f(x,y)=-x\ln\dfrac{1}{1+e^{-y}}-(1-x)\ln\dfrac{e^{-y}}{1+e^{-y}}$ 일 때, $(x,y)=(1,0)$에서 f가 가장 빠르게 증가하는 방향으로 옳은 것은? [3점]

① $(0,-1)$

② $(1,0)$

③ $\left(\dfrac{1}{\sqrt{2}},\dfrac{1}{\sqrt{2}}\right)$

④ $\left(-\dfrac{1}{\sqrt{2}},-\dfrac{1}{\sqrt{2}}\right)$

7. $z=\dfrac{e^{x-y}}{(1+e^{-y})(1+e^{x})}$, $x=st^2$, $y=s^2t$ 일 때, $(s,t)=(0,1)$에서 $\dfrac{\partial z}{\partial s}$ 를 구하면? [2.5점]

① $\dfrac{1}{2}$

② $\dfrac{1}{8}$

③ $\dfrac{1}{16}$

④ $\dfrac{1}{32}$

6. 벡터장
$F(x,y)=\langle y\sin x+xy\cos x,\ xy^2+x\sin x\rangle$,
곡선 C는 반시계방향으로 매개화된
원 $(x-3)^2+(y-4)^2=1$일 때, 벡터장의
선적분 $\oint_C F\cdot dr$ 의 값은? [3.5점]

① $\dfrac{61\pi}{4}$

② $\dfrac{63\pi}{4}$

③ $\dfrac{65\pi}{4}$

④ $\dfrac{67\pi}{4}$

8. 행렬 A는 3×3행렬로 고윳값 $0,1,2$와 그 고윳값 각각에 해당하는 고유벡터 $\begin{pmatrix}1\\0\\1\end{pmatrix},\begin{pmatrix}1\\2\\0\end{pmatrix},\begin{pmatrix}0\\1\\0\end{pmatrix}$을 갖는다. $A^2\begin{pmatrix}2\\3\\1\end{pmatrix}=\begin{pmatrix}a_1\\a_2\\a_3\end{pmatrix}$라 할 때, $a_1+a_2+a_3$의 값은? [4점]

① 1

② 3

③ 5

④ 7

9. 함수 $f(x,y) = x^4 - 4xy + y^4$이 최솟값을 갖는 점에서 $f_{xx}f_{yy} - (f_{xy})^2$의 값을 구하면? [3.5점]

① 1　　　② 48　　　③ 128　　　④ 160

11. 함수 $y = y(t)$가 미분방정식
$y'' - 2y' + y = te^t$, $y(0) = 1$, $y'(0) = 1$의 해일 때, $y(1) \times y(-1)$의 값은? [3.5점]

① $\dfrac{5e^2}{2}$　　② $\dfrac{35}{36}$　　③ $\dfrac{7}{5}$　　④ $\dfrac{17}{18e^2}$

10. 행렬 $A = \begin{pmatrix} 1 & 2 \\ 2 & 3 \\ 0 & 1 \end{pmatrix}$, $b = \begin{pmatrix} 0 \\ 1 \\ -2 \end{pmatrix}$에 대하여

$\left\| A\begin{pmatrix} x \\ y \end{pmatrix} - b \right\|$이 $\begin{pmatrix} x \\ y \end{pmatrix} = \begin{pmatrix} a_1 \\ a_2 \end{pmatrix}$에서 최솟값을 가질

때, $a_1 + a_2$의 값은? (단,

$\left\| \begin{pmatrix} x \\ y \\ z \end{pmatrix} \right\| = \sqrt{x^2 + y^2 + z^2}$ 이다.)[3.5점]

① $\dfrac{\sqrt{2}}{2}$　　② $\dfrac{3}{2}$　　③ -1　　④ -2

12. $F(s) = \dfrac{17}{s^3 - 5s^2 + 4s + 10}$의 Laplace

역변환이 $f(t)$일 때, $f(\pi) + f'(\pi)$의 값은? [3점]

① $e^{3\pi} + e^{-\pi}$

② $-2e^{3\pi} - 2e^{-\pi}$

③ 0

④ $2e^{3\pi} + 2e^{-\pi}$

13. 함수 $g(t) = e^{3t}(\sin 4t + 4t\cos 4t)$의 Laplace 변환이 $G(s)$로 주어질 때, $G(5)$의 값은? [2.5점]

① $-\dfrac{5}{32}$ ② $\dfrac{2}{25}$ ③ $\dfrac{4}{25}$ ④ $\dfrac{8}{25}$

14. 연립미분방정식 $x' + 5x + y = 0$, $x - y' - 3y = 0$, $x(1) = 1$, $y(1) = 0$을 만족하는 $x(t)$, $y(t)$에 대하여 $x\left(\dfrac{1}{2}\right) - y\left(\dfrac{1}{2}\right)$의 값은? [4점]

① 0 ② e^2 ③ $-2e^2$ ④ $2e^2$

15. 함수 $y = y(t)$가 미분방정식 $2(t^3 + 1)y' - 3t^2(y^3 - y) = 0$, $y(0) = 2$의 해일 때 $y(-1)$의 값은? [3.5점]

① 1 ② 0 ③ $e^{-1} - 1$ ④ $e^{-1} + 1$

16. 함수 $y = y(x)$가 미분방정식 $x^2 y'' + xy' + 4y = x^2 + 8$, $y(1) = \dfrac{1}{8}$, $y'(1) = \dfrac{9}{4}$의 해일 때, $y\left(e^{\frac{\pi}{2}}\right)$의 값은? [3.5점]

① $3 + \dfrac{e^\pi}{8}$

② $1 + \dfrac{e^\pi}{8}$

③ $4 + \dfrac{e^\pi}{8}$

④ $\dfrac{e^\pi}{8}$

17. 함수 $y=y(x)$가 미분방정식
$$y''' + 4y'' + 13y' = 0,$$
$y(0)=0,\ y'(0)=1,\ y''(0)=1$의 해일 때, $y\left(\dfrac{\pi}{2}\right)$의 값은? [4점]

① $\dfrac{5+5e^{-\pi}}{13}$

② $\dfrac{5-e^{-\pi}}{13}$

③ $\dfrac{5+e^{-\pi}}{13}$

④ $\dfrac{5-5e^{-\pi}}{13}$

19. 10℃로 유지되는 시험장에 수험생이 초기온도 60℃의 온열팩을 가져왔고 10분 후 온열팩의 온도는 50℃가 되었다. 만약 온열팩의 온도변화가 시간 t에서 온열팩과 시험장의 온도 차이에 비례한다면, 온열팩의 온도가 초기온도로부터 30℃까지 변하는데 소요되는 총시간은 몇 분인가? [3.5점]

① $10\log_{0.8}0.4$

② $10\log_{0.5}0.1$

③ $10\log_{0.8}0.5$

④ $10\log_{0.8}0.2$

18. 함수 $y=y(x)$가 미분방정식
$$y' - y - e^x \sin x \sin 2x = 0,\ y(0)=1$$의 해일 때,
$y\left(\dfrac{\pi}{2}\right)$의 값은? [3.5점]

① $\dfrac{5}{6}e^{\frac{\pi}{2}}$

② $e^{\frac{\pi}{2}}$

③ $-\dfrac{1}{3}e^{\frac{\pi}{2}}$

④ $\dfrac{5}{3}e^{\frac{\pi}{2}}$

20. 함수 $y=y(x)$가 미분방정식
$$e^{2x}y' - 2e^{2x} = e^y,\ y(0)=-1$$의 해일 때, $y(1)$의 값은? [3점]

① $2+\ln(e-1)$

② $2-\ln(e-1)$

③ $2+\ln(e+1)$

④ $2-\ln(e+1)$

21. 함수 $y = y(x)$가 미분방정식 $y'' - 7y' + 12y = e^{3x}$, $y(0) = -1, y'(0) = -2$의 해일 때, $y(1)$의 값은? [2.5점]

① $e^3(2e - 4)$

② $e^3(2e^2 - 4)$

③ $e^3(2e + 4)$

④ $e^3(2e^2 + 4)$

23. 함수 $f(x)$를 다음과 같이 정의하자.

$$f(x) = \begin{cases} 0 & , x < 0 \\ \sin x & , 0 \le x \le \pi \\ 0 & , x > \pi \end{cases}$$

$f(x)$를 아래와 같이 Fourier 적분으로 나타낼 때, $A(\alpha) + B(\alpha)$를 구하면? (단, $\alpha \ne \pm 1$)

$$f(x) = \frac{1}{\pi} \int_0^\infty [A(\alpha)\cos\alpha x + B(\alpha)\sin\alpha x] d\alpha$$

① $\dfrac{1 - \cos\alpha\pi + \sin\alpha\pi}{1 - \alpha^2}$

② $\dfrac{1 + \cos\alpha\pi + \sin\alpha\pi}{1 - \alpha^2}$

③ $\dfrac{1 + \cos\alpha\pi - \sin\alpha\pi}{1 - \alpha^2}$

④ $\dfrac{1 - \cos\alpha\pi - \sin\alpha\pi}{1 - \alpha^2}$

22. 주기가 4인 함수 $f(x)$를 다음과 같이 정의하자.

$$f(x) = \begin{cases} -1, & -2 < x < 0 \\ 1, & 0 \le x \le 2 \end{cases}$$

$f(x)$를 복소 Fourier 급수

$$f(x) = \sum_{-\infty}^{\infty} c_n e^{i\frac{n\pi x}{2}}$$ 로 나타낼 때, c_n을 구하면?

(단, $n \ne 0$) [2.5점]

① $\dfrac{i}{n\pi}\{(-1)^n - 1\}$

② $\dfrac{i}{n\pi}\{1 - (-1)^n\}$

③ $\dfrac{i}{n\pi}\{(-1)^n + 1\}$

④ $\dfrac{i}{n\pi}\{(-1)^{n+1} - 1\}$

24. 다음 <보기>중 주어진 영역에서 수렴하는 Laurent 급수가 올바르게 구해진 것은 모두 몇 개인가? [4점]

(가) $\dfrac{1}{(z+1)^2} = \sum_{k=1}^{\infty} \dfrac{k(-1)^{k+1}(z-1)^{k-1}}{2^{k+1}}, |z-1| < 2$

(나) $\dfrac{4}{(z-i)(z+3i)} =$

$\sum_{k=-\infty}^{-1} \left[-\dfrac{i^k}{3^{k+1}} + (-1)^{k+1} i^k \right] z^k, |z| > 3$

(다) $\dfrac{1}{(z-1)(z-3)} =$

$-\dfrac{1}{2(z-1)} - \sum_{k=0}^{\infty} \dfrac{(z-1)^k}{2^{k+2}}, 0 < |z-1| < 2$

(라) $\dfrac{1}{z(1-z)^2} = \sum_{k=0}^{\infty} \dfrac{k+1}{z^{k+3}}, |z| > 1$

① 1개 ② 2개 ③ 3개 ④ 4개

25. C를 원 $|z|=2$라 할 때

$$\int_C \left[\frac{\sin z}{(2z-\pi)^2(z-2\pi)} + \frac{e^{2z}}{(z-1)^3} \right] dz$$ 를

계산하면?

(단, C의 방향은 시계 반대 방향이다.) [3.5점]

① $\left(4\pi e^2 + \frac{2}{9\pi}\right)i$

② $\left(8\pi e^2 - \frac{2}{9\pi}\right)i$

③ $\left(4\pi e^2 - \frac{2}{9\pi}\right)i$

④ $\left(8\pi e^2 + \frac{2}{9\pi}\right)i$

26. 다음 <보기>중 옳은 것은 모두 몇 개인가?

(단, $\bar{z}$는 복소수 z의 켤레 복소수이고,
$f(z), g(z), h(z)$는 복소함수이다.) [3.5점]

<보기>

(가) 모든 z에 대하여 $e^{\bar{z}} = \overline{e^z}$이다.

(나) $\sin z$가 실수이면 z는 항상 실수이다.

(다) $f(z) = 2z + \bar{z}^2$은 복소평면 전체에서 해석적인(analytic) 완전함수(entire function)이다.

(라) $g(z) = \frac{1}{z}\cos\frac{1}{z}$은 $z_0 = 0$에서 진성 특이점(essential singularity)을 가진다.

(마) $h(z) = \frac{\cos z}{z^4 \sin z}$에서 $z_0 = 2\pi$는

단순극(simple pole) 이며 z_0에 해당하는

유수(residue)는 $\frac{1}{16\pi^4}$이다.

① 2개   ② 3개   ③ 4개   ④ 5개

27.   복소함수 $f(z) = (\cosh z - 1)\sinh z$를

Maclaurin급수 $f(z) = \sum_{k=0}^{\infty} a_k z^k$로 전개하였을 때,

$\dfrac{a_4 + a_5}{a_3}$의 값은? [3점]

① $\frac{1}{4}$ ② $\frac{1}{6}$ ③ $\frac{1}{12}$ ④ $\frac{1}{24}$

28. C를 원 $|z|=1$이라 할 때,

$$\int_C \left[\frac{1}{z^2 \sin z} + \left(\frac{1}{z^2} + z + z^3\right)e^{\frac{1}{z}} \right] dz$$ 를

계산하면? [4점]

(단, C의 방향은 시계반대방향이다.)

① $\frac{11\pi i}{12}$ ② $\frac{13\pi i}{12}$ ③ $\frac{15\pi i}{12}$ ④ $\frac{17\pi i}{12}$

29. 복소방정식 $\cos z = -3i$의 해가 아닌 것은?
[3점]

① $\dfrac{41\pi}{2} - i\log_e(\sqrt{10}-3)$

② $\dfrac{23\pi}{2} - i\log_e(\sqrt{10}+3)$

③ $\dfrac{21\pi}{2} - i\log_e(\sqrt{10}-3)$

④ $\dfrac{37\pi}{2} - i\log_e(\sqrt{10}+3)$

30. $\displaystyle\int_{-\infty}^{\infty} \dfrac{x}{(x^2+2x+2)^2}\,dx$의 값은? [3.5점]

① $-\dfrac{\pi}{4}$

② $\dfrac{\pi}{4}$

③ $-\dfrac{\pi}{2}$

④ $\dfrac{\pi}{2}$

01. 방정식 $5x^2 + 2xy + 5y^2 = 12$ 를 만족하는 두 실수 x, y에 대하여 y의 최댓값과 최솟값의 차는? [3]

① $\sqrt{6}$　　② $\sqrt{8}$　　③ $\sqrt{10}$　　④ $\sqrt{12}$

02. 선형사상 $T: R^3 \to R^3$을 다음과 같이 정의하자.

$$Tv = Av, A = \begin{pmatrix} 3 & 2 & 1 \\ 1 & 1 & 1 \\ 1 & 2 & 3 \end{pmatrix}, v \in R^3$$

T의 치역은 R^3에서 평면을 이룬다. 이 평면에 대하여 점 $(1,1,1)$과 대칭인 점을 (a,b,c)라 할 때, $a+b+c$의 값은? [4]

① $\dfrac{23}{12}$　　② $\dfrac{23}{9}$　　③ $\dfrac{25}{6}$　　④ $\dfrac{25}{3}$

03. 두 직선 $y = x$, $y = ex$와 두 쌍곡선 $xy = 1$, $xy = 7$에 의해 둘러싸인 제 1사분면 위의 영역을 R이라 할 때, $\displaystyle\iint_R xy \, dx \, dy$의 값은? [4]

① 4　　② 6　　③ 12　　④ 15

04. 세 벡터 $w_1 = (1,0,0,0)$, $w_2 = (1,1,1,0)$, $w_3 = (1,2,0,1)$에 그람–슈미트 과정(Gram–Schmdit process)을 적용하여 얻은 정규직교 벡터(orthonormal vectors)가 $u_1 = (1,0,0,0), u_2 = (0,a,a,b), u_3 = (0,c,d,c)$ 일 때, $a^2 + b^2 + c^2 + d^2$의 값은? [2.5]

① $\dfrac{5}{6}$　　② $\dfrac{7}{6}$　　③ $\dfrac{11}{12}$　　④ $\dfrac{13}{12}$

　　　- 1 -

05. 반지름이 1인 원에 외접하는 정 n각형과 내접하는 정 n각형의 넓이 차를 A_n이라 하자. $\lim_{n \to \infty} n^k A_n$이 존재하도록 하는 상수 k에 대하여 $\lim_{n \to \infty} n^k A_n = \alpha$라 할 때, α^k의 값은? [3.5]

① π^2 ② π^3 ③ π^6 ④ π^{12}

07. 함수 $f(x,y) = \displaystyle\int_{xy}^{x^2+y^2} e^{t^2} dt$의 편미분계수 $\dfrac{\partial f}{\partial x}(1,1)$의 값은? [3]

① $e^4 - 2e$ ② $e^4 - e$
③ $2e^4 - 2e$ ④ $2e^4 - e$

06. 극한 $\displaystyle\lim_{x \to 0} \dfrac{\sin x - \tan^{-1} x}{x^3}$의 값은? [2.5]

① $\dfrac{1}{6}$ ② $\dfrac{1}{4}$ ③ $\dfrac{1}{3}$ ④ $\dfrac{1}{2}$

08. 좌표평면에서 $y = x^4 - x^5$과 $y = 0$으로 둘러싸인 영역을 y축을 중심으로 회전시킬 때 생기는 입체의 부피는? [3.5]

① $\dfrac{\pi}{23}$ ② $\dfrac{\pi}{22}$ ③ $\dfrac{\pi}{21}$ ④ $\dfrac{\pi}{20}$

09. 행렬 $A = \begin{pmatrix} 9 & 1 & 1 \\ -1 & -9 & 1 \\ 3 & 0 & 0 \end{pmatrix}$에 대하여

$\det(A^3 - 81A)$의 값은? (단, $\det B$는 정사각행렬 B의 행렬식(determinant)을 나타낸다.)

① $2^7 3^3 5$　　② $2^6 3^4 5$

③ $2^8 3^3 5$　　④ $2^8 3^4 5$

11. $y = y(x)$가 미분방정식

$y'' + 2y' - 8y = 2e^{-2x} - e^{-x}$, $y(0) = 1$,

$y'(0) = 0$의 해일 때,

$y = ae^{2x} + be^{-4x} + ce^{-2x} + de^{-x}$이다. $c+d$의 값은? [3.5]

① $-\dfrac{14}{36}$　　② $-\dfrac{5}{36}$

③ $\dfrac{4}{36}$　　④ $\dfrac{13}{26}$

10. 두 평면 $z = 0$, $z = 3$과 원기둥 $x^2 + y^2 = 1$로 둘러싸인 영역 R의 경계를 S라 하자. 이 때, 곡면 S에 대한 벡터장 $F = \left(xe^{x^2+y^2}, ye^{x^2+y^2}, ze^{x^2+y^2} \right)$의 유량 $\iint_S F \cdot dS$의 값은? [4]

① $2\pi(2e-1)$　　② $3\pi(2e-1)$

③ $2\pi(3e-1)$　　④ $3\pi(3e-1)$

12. $f(t)$가 적분방정식

$f(t) = \cos t + \displaystyle\int_0^t e^{-\tau} f(t-\tau) d\tau$를 만족할 때,

$f\left(\dfrac{\pi}{6}\right)$의 값은? [3.5]

① $\dfrac{1+\sqrt{3}}{2}$　　② $\dfrac{-1-\sqrt{3}}{2}$

③ $\dfrac{-1+\sqrt{3}}{2}$　　④ $\dfrac{1-\sqrt{3}}{2}$

13. $y = y(x)$가 미분 방정식
$y''' + 2y'' - 5y' - 6y = 0$, $y(0) = y'(0) = 0$,
$y''(0) = 1$의 해일 때,
$y = Ae^{ax} + Be^{bx} + Ce^{cx}$이다.
$A \times a + B \times b + C \times c$의 값은? [3.5]

① $-\dfrac{1}{2}$　　② 0　　③ 1　　④ $\dfrac{1}{2}$

15. $y = y(x)$가 미분방정식
$y'' - 4y' + 4y = (12x^2 - 6x)e^{2x}$, $y(0) = 1$,
$y'(0) = 0$의 해일 때, $y(-2)$의 값은? [3.5]

① $5e^{-4}$　　② $13e^{-4}$

③ $21e^{-4}$　　④ $29e^{-4}$

14. 미분 방정식 $y'' + 16y = \delta(t - 2\pi)$, $y(0) = 0$,
$y'(0) = 0$의 해는? [3]

① $\dfrac{1}{4}\sin(4t)u(t + 2\pi)$

② $\dfrac{1}{4}\cos(4t)u(t - 2\pi)$

③ $\dfrac{1}{4}\cos(4t)u(t + 2\pi)$

④ $\dfrac{1}{4}\sin(4t)u(t - 2\pi)$

16. 미분방정식
$\left(2y\sin x \cos x - y + 2y^2 e^{xy^2}\right)dx = \left(x - \sin^2 x - 4xye^{xy^2}\right)dy$
의 해는? [3]

① $y\sin^2 x - xy + 4e^{xy^2} = c$

② $y\sin^2 x - xy + 2e^{x^2y} = c$

③ $y\sin^2 x - xy + 2e^{xy^2} = c$

④ $y\sin^2 x - xy + 4e^{x^2y} = c$

17. $x=x(t)$, $y=y(t)$가 연립 미분 방정식
$2x'(t)+y'(t)-2x=1$,
$x'(t)+y'(t)-3x-3y=2$, $x(0)=0$, $y(0)=0$의
해일 때, $x(1)+y(1)$의 값은? [3.5]

① $\dfrac{2}{3}\left(e^2-1\right)$ 　　② $\dfrac{2}{3}\left(e^3-1\right)$

③ e^2-1 　　　　④ e^3-1

19. 함수 $g(t)=e^{-2t}\cos\left(t-\dfrac{\pi}{6}\right)$의

Laplace변환이 $G(s)$로 주어질 때, $G(-3)$의
값은? [3.5]

① $\dfrac{1-2\sqrt{3}}{4}$ 　　② $\dfrac{1-\sqrt{3}}{4}$

③ $\dfrac{1+\sqrt{3}}{4}$ 　　④ $\dfrac{1+2\sqrt{3}}{4}$

18. $y=y(x)$가 미분방정식 $y''+9y=e^x$,
$y(0)=0$, $y'(0)=0$의 해일 때, $y(\pi)$의 값은?
[3]

① $\dfrac{e^\pi}{10}-\dfrac{1}{10}$ 　　② $\dfrac{e^\pi}{10}-\dfrac{1}{30}$

③ $\dfrac{r^\pi}{10}+\dfrac{1}{30}$ 　　④ $\dfrac{e^\pi}{10}+\dfrac{1}{10}$

20. $y=y(x)$가 미분방정식
$y''-2y'+5y=1+x$, $y(0)=0$, $y'(0)=4$의

해일 때, $y\left(\dfrac{\pi}{4}\right)=a+b\left(\dfrac{\pi}{4}\right)+ce^{\frac{\pi}{4}}$ 이다.

$a+b+c$의 값은? [3.5]

① $\dfrac{9}{25}$ 　② $\dfrac{27}{25}$ 　③ $\dfrac{45}{25}$ 　④ $\dfrac{63}{25}$

21. $y = y(x)$가 미분방정식 $xy^2\dfrac{dy}{dx} = y^3 - x^3$,

$y(1) = 2$의 해일 때, $y(e)$의 값은? [3]

① $5^{\frac{1}{3}}e$ ② $1 + 5^{\frac{1}{3}}e$

③ $5e$ ④ $1 + 5e$

22. 주기가 2인 함수 $f(x)$를 다음과 같이 정의하자.

$f(x) = x + 5,\ -1 < x < 1$ $f(x)$를 아래와 같이 Fourier 급수로 나타낼 때, $a_3 + b_2 + C_3$의 값은? [2.5]

$$f(x) = \frac{a_0}{2} + \sum_{n=1}^{INF}\left(a_n\cos n\pi x + b_n\sin n\pi x\right) = \sum_{n=-INF}^{INF} c_n e^{in\pi x}$$

① $\dfrac{-3-i}{3\pi}$ ② $\dfrac{-3+i}{3\pi}$

③ $\dfrac{3-i}{3\pi}$ ④ $\dfrac{3+i}{3\pi}$

23. 함수 $f(x)$를 다음과 같이 정의하자.

$f(x) = \begin{cases} 0 & x < 0 \\ e^{-x} & x \geq 0 \end{cases}$ $f(x)$를 아래와 같이

Fourier 적분으로 나타낼 때, $A(\alpha) + B(\alpha)$를 계산하면? [2.5]

$$f(x) = \frac{1}{\pi}\int_0^\infty \left[A(\alpha)\cos\alpha x + B(\alpha)\sin\alpha x\right]d\alpha$$

① $\dfrac{1+\alpha}{1+\alpha^2}$ ② $\dfrac{1-\alpha}{1+\alpha^2}$

③ $\dfrac{-1+\alpha}{1+\alpha^2}$ ④ $\dfrac{-1-\alpha}{1+\alpha^2}$

24. 다음 <보기>중 복소함수 $f(z)$의 Laurent급수와 수렴영역이 올바르게 짝지어진 것은 모두 몇 개인가? [4]

$$f(z) = \frac{z+4}{z^2(z^2+3z+2)}$$

<보기>

(가)

$$f(z) = \frac{2}{z^2} - \frac{5}{2z} + \sum_{n=0}^\infty (-1)^n\left(3 - \frac{1}{2^{n+2}}\right)z^n,\ 0 < |z| < 1$$

(나)

$$f(z) = \sum_{n=2}^{INF}\frac{3(-1)^n}{z^{n+1}} - \frac{1}{z^2} + \frac{1}{2z} - \sum_{n=0}^{INF}\frac{(-1)^n z^n}{2^{n+2}},$$
$1 < |z| < 2$

(다) $f(z) = \displaystyle\sum_{n=3}^\infty \frac{(-1)^{n+1}\left(3 - 2^{n-1}\right)}{z^n},$
$2 < |z| < \infty$

(라) $f(z) = \dfrac{3}{z+1} + \displaystyle\sum_{n=0}^\infty\left(2n + \frac{7}{2} - \frac{(-1)^n}{2}\right)(z+1)^n,$
$0 < |z+1| < 1$

① 1개   ② 2개   ③ 3개   ④ 4개

25. $\int_{1-2i}^{\pi i} \cos z\, dz$의 값은? [3]

① $-\sin 1 \cosh 2 + i(\sinh \pi - \cos 1 \sinh 2)$

② $-\sin 1 \cosh 2 + i(-\sinh \pi + \cos 1 \sinh 2)$

③ $-\sin 1 \cosh 2 + i(\sinh \pi + \cos 1 \sinh 2)$

④ $-\sin 1 \cosh 2 - i(\sinh \pi + \cos 1 \sinh 2)$

27. 복소함수 $f(z) = \cos^2 z$를 중심 $z_0 = \pi$인 $Taylor$급수 $f(z) = 1 + \sum_{n=1}^{\infty} a_n (z-\pi)^n$으로 전개하였을 때, $\dfrac{a_8}{a_{10}}$의 값은? [3]

① $-\dfrac{45}{2}$ 　　② $-\dfrac{39}{2}$

③ $-\dfrac{33}{2}$ 　　④ $-\dfrac{17}{2}$

26. 다음 <보기>중 옳은 것은 모두 몇 개인가? [4]

(가) $z = \dfrac{-\sqrt{3}+i}{2}$일 때, $z^{603} = i$이다.

(나) 복소 방정식 $(z-1)^7 = (z+2)^7$을 만족하는 해의 개수는 모두 6개다.

(다) 복소함수 $f(z) = e^{\bar{z}}$는 복소평면 위의 어떤 점에서 해석적이지 않다. (단, $\bar{z}$는 z의 켤레복소수이다.)

(라) 복소함수 $f(z) = \dfrac{\sin z}{z^{2010}}$는 $z_0 = 0$에서 차수가 2009인 극(pole)을 갖고 $Res(f(z), z_0) = \dfrac{1}{2009!}$이다. (단, z_0에서 $f(z)$의 유수(residue)는 $Res(f(z), z_0)$로 나타낸다.)

(마) 선형분수변환 $T(z) = \dfrac{z-i}{z}$에 대한 원 $|z-1| = 1$의 상(image)은 직선이다.

① 2개　　② 3개　　③ 4개　　④ 5개

28. C를 원 $|z-i| = 2$이라 할 때, $\int_C \left(\dfrac{4e^{-iz}}{(z+6i)(z-2i)} + \bar{z} \right) dz$를 계산하면? (단, C의 방향은 시계반대방향이고 $\bar{z}$는 z의 켤레복소수이다.) [3.5]

① $\left(\dfrac{1}{2e^2} + 4i \right)\pi$ 　　② $\left(\dfrac{1}{e^2} + 8i \right)\pi$

③ $(e^2 + 4i)\pi$ 　　④ $(e^2 + 8i)\pi$

29. $\int_0^{2\pi} \cos^{10}\theta\, d\theta$의 값은? [4]

① $\dfrac{55\pi}{128}$

② $\dfrac{59\pi}{128}$

③ $\dfrac{63\pi}{128}$

④ $\dfrac{67\pi}{128}$

30. C를 원 $|z|=\dfrac{1}{2}$이라 할 때,

$\displaystyle\int_C \left(\dfrac{e^z-1}{z^4(1-z)} + z^3\cos\dfrac{1}{z} \right)dz$를 계산하면? (단,

C의 방향은 시계반대방향이다.) [3.5]

① $\dfrac{25\pi i}{12}$

② $\dfrac{33\pi i}{12}$

③ $\dfrac{41\pi i}{12}$

④ $\dfrac{49\pi i}{12}$

01. 선형변환 $T: R^3 \to R^3$가

$$T\begin{pmatrix}1\\0\\0\end{pmatrix}=\begin{pmatrix}1\\2\\2\end{pmatrix},\ T\begin{pmatrix}1\\1\\0\end{pmatrix}=\begin{pmatrix}-4\\5\\1\end{pmatrix},\ T\begin{pmatrix}1\\1\\1\end{pmatrix}=\begin{pmatrix}5\\-3\\1\end{pmatrix}$$을

만족한다고 하자. T의 핵(kernel)에 속하는

점과 점 $\begin{pmatrix}1\\-2\\3\end{pmatrix}$사이의 최소 거리는? [3.5]

① $\sqrt{8}$

② $\sqrt{10}$

③ $\sqrt{12}$

④ $\sqrt{14}$

02. 두 부등식

$x^2+y^2 \geq 4,\ x^2+\left(y-\sqrt{3}\right)^2 \leq 1$을 만족하는
점들이 이루는 영역의 넓이는? [4]

① $\sqrt{3}-\dfrac{\pi}{6}$

② $\sqrt{6}-\dfrac{\pi}{3}$

③ $\sqrt{3}-\dfrac{\pi}{4}$

④ $\sqrt{6}-\dfrac{\pi}{4}$

03. 차수가 2 이하인 다항식으로 이루어진
벡터공간 P_2에 정의된 선형사상 $T: P_2 \to P_2$가
주어져 있다. 순서기저(ordered basis)
$B=\{1+t^2,\ t+t^2,\ 1+2t+t^2\}$에 대한 T의

행렬 표현이 다음과 같고 $[T]_B=\begin{pmatrix}3 & 4 & 0\\0 & 5 & -1\\1 & -2 & 7\end{pmatrix}$

$p(t)= T(1+t+t^2)$라 할 때, $p(-1)$의 값은?
[3.5]

① 0

② 1

③ 2

④ 3

04. 모든 성분이 실수인 $m \times n$행렬 A에
대하여 A의 영공간(null space)과 A^T의
영공간은 그 차원이 각각 7, 2이고 A^TA는
차원이 k인 영공간을 갖는다고 하자.
$m-n+k$의 값은? (여기서, A^T는 A의
전치행렬이다.) [3]

① -5

② -2

③ 2

④ 5

05. 극한 $\lim\limits_{x \to 0} \dfrac{\sinh x - x}{x^3}$

① $\dfrac{1}{12}$

② $\dfrac{1}{6}$

③ $\dfrac{1}{4}$

④ $\dfrac{1}{3}$

07. 곡선 $y = \dfrac{2}{x^3 - x^2 - x + 1}$ 와 세 직선

$y = 0$, $x = 0$, $x = \dfrac{1}{2}$ 로 둘러싸인 영역을 y축을

중심으로 회전하여 얻은 회전체의 부피는? [4]

① $\pi(2 - \ln 2)$

② $\pi(2 - \ln 3)$

③ $\pi(3 - \ln 2)$

④ $\pi(3 - \ln 3)$

06. 점 $(1, 4)$와 곡선 $y^2 = 2x$ 위의 점
(x, y) 사이의 거리의 최솟값은? [3]

① $\dfrac{3\sqrt{5}}{5}$

② $\dfrac{4\sqrt{5}}{5}$

③ $\sqrt{5}$

④ $\dfrac{6\sqrt{5}}{5}$

08. 영역 $x^2 + y^2 \le 4$에서 함수
$f(x, y) = e^{-x^2 - y^2}(x^2 + 2y^2)$의 최댓값은? [2.5]

① $\dfrac{2}{e}$

② $\dfrac{4}{e^2}$

③ $\dfrac{6}{e^3}$

④ $\dfrac{8}{e^4}$

09. $0 \le t \le 1$에서 정의된 곡선 C는
$r(t) = (e^t \cos t, \, e \sin t)$로 주어지고 $t = 0$에서
출발하여 $t = 1$에서 끝난다. 벡터장
$F(x, y) = \dfrac{(-y, \, x)}{x^2 + y^2}$에 대하여 선적분

$\displaystyle \int_C F \cdot dr$의 값은? [3.5]

① 1

② $\dfrac{3}{2}$

③ 2

④ $\dfrac{5}{2}$

11. 미분방정식

$(x+1) \dfrac{dy}{dx} + y - \ln x = 0, \, y(1) = 0$의 해가 $y(x)$일

때, $y(3) = A + B \ln C$이다. $A + B + C$의 값은?
[3]

① $\dfrac{11}{4}$

② $\dfrac{13}{4}$

③ $\dfrac{15}{4}$

④ $\dfrac{17}{4}$

10. 구면 $S : x^2 + y^2 + z^2 = 4$에 대하여

$\displaystyle \iint_S \dfrac{dS}{\sqrt{x^2 + y^2 + (z-1)^2}}$의 값은? [4]

① $8\pi - 1$
② 8π
③ $8\pi + 1$
④ $8\pi + 2$

12. 연립미분방정식 $\dfrac{d^2 x}{dt^2} + 10x - 4y = 0$,

$\dfrac{d^2 y}{dt^2} + 4y - 4x = 0, \, x(0) = 0, \, y(0) = 0$,

$\dfrac{dx}{dt}(0) = -1, \, \dfrac{dy}{dt}(0) = 1$의 해가 $x(t), \, y(t)$일 때,

$x(1) + y(1)$의 값은? [3.5]

① $\dfrac{3\sqrt{2}}{10} \sin \sqrt{2} - \dfrac{\sqrt{3}}{10} \sin 2\sqrt{3}$

② $\dfrac{7\sqrt{2}}{10} \sin \sqrt{2} - \dfrac{3\sqrt{3}}{10} \sin 2\sqrt{3}$

③ $\dfrac{3\sqrt{2}}{10} \sin \sqrt{2} + \dfrac{\sqrt{3}}{10} \sin 2\sqrt{3}$

④ $\dfrac{7\sqrt{2}}{10} \sin \sqrt{2} + \dfrac{3\sqrt{3}}{10} \sin 2\sqrt{3}$

13. $xy^2\dfrac{dy}{dx}=y^3+x^3$, $y(1)=1$의 해가 $y(x)$라고 할 때, $y(2)$의 값은? [3]

① $\sqrt[3]{24\ln2-8}$
② $\sqrt[3]{-8\ln2+24}$
③ $\sqrt[3]{24\ln2+8}$
④ $\sqrt[3]{8\ln2+24}$

15. 미분방정식 $y'''+8y''+16y'=0$, $y(0)=0$, $y'(0)=0$, $y''(0)=1$의 해가 $y(x)=\dfrac{1}{A}e^{ax}\left(Be^{bx}+Cx+D\right)$라고 할 때, $A\div(B+C+D)$의 값은? [3.5]

① -4
② -2
③ 2
④ 4

14. 미분방정식 $y''+y=\sqrt{2}\sin\sqrt{2}\,x$, $y(0)=1$, $y'(0)=0$의 해가 $y(x)=A\sin x+B\sin\sqrt{2}\,x+C\cos x$라고 할 때, $A+B+C$의 값은? [3.5]

① $1-\sqrt{2}$
② $1+\sqrt{2}$
③ $3-\sqrt{2}$
④ $3+\sqrt{2}$

16. 주기가 1인 함수 $g(t)$를 다음과 같이 정의하자. $g(t)=t$, $0\le t<1$ $g(t)$의 Laplace변환이 $G(s)$로 주어질 때, $G(1)$의 값은? [3.5]

① $1+\dfrac{1}{e+1}$
② $1-\dfrac{1}{e+1}$
③ $1+\dfrac{1}{e-1}$
④ $1-\dfrac{1}{e-1}$

17. 미분방정식 $y'' + 4y' + 3y = \sin e^x$의 해가
$y(x) = c_1 e^{ax} + c_2 e^{bx} - e^{cx}\sin e^x - e^{dx}\cos e^x$라고
할 때, $a + b + c + d$의 값은? [3.5]

① -18

② -9

③ 9

④ 18

19. 미분방정식

$x^2 y'' + xy' - y = 2\ln x$, $y(1) = 1$, $y'(1) = 0$의 해가

$y(x)$라고 할 때, $y\left(\dfrac{1}{2}\right)$의 값은? (단,

$\ln 2 = 0.7$로 계산한다.) [3.5]

① 0.85

② 0.95

③ 1.05

④ 1.15

18. 미분방정식
$y'' - 2xy' + 8y = 0$, $y(0) = 1$, $y'(0) = 0$의

거듭제곱급수 해가 $y(x) = \displaystyle\sum_{n=0}^{\infty} c_n x^n$이라고 할

때, $y(1)$의 값은? [3.5]

① $-\dfrac{2}{3}$

② $-\dfrac{5}{3}$

③ $-\dfrac{8}{3}$

④ -4

20. 미분방정식 $3xy'' + (2-x)y' - y = 0$의 해를
구하기 위해 해의 형태가 (가)라고 가정하고,
Frobenius 방법을 적용하면 결정방정식
(indicial equation)이 (나)와 같이 구해진다.
(가), (나)가 바르게 짝지어진 것은? [3]

① (가) $y(x) = \displaystyle\sum_{m=0}^{\infty} a_m x^{m+r}$ (나) $3r^2 - r = 0$

② (가) $y(x) = \displaystyle\sum_{m=0}^{\infty} a_m x^{mr}$ (나) $3r^2 - r = 0$

③ (가) $y(x) = \displaystyle\sum_{m=0}^{\infty} a_m x^{m+r}$ (나) $5r^2 - 3r = 0$

④ (가) $y(x) = \displaystyle\sum_{m=0}^{\infty} a_m x^{mr}$ (나) $5r^2 - 3r = 0$

21. 미분방정식
$y'' + 4y' + 13y = \delta(t - 2\pi)$, $y(0) = 0$, $y'(0) = 0$의
해는? [3]

① $y = \dfrac{1}{2}e^{-3t}\sin 2t\, u(t - 2\pi)$

② $y = \dfrac{1}{2}e^{-3(t-2\pi)}\sin 2t\, u(t - 2\pi)$

③ $y = \dfrac{1}{3}e^{-2t}\sin 3t\, u(t - 2\pi)$

④ $y = \dfrac{1}{3}e^{-2(t-2\pi)}\sin 3t\, u(t - 2\pi)$

22. 주기가 2π인 함수 $f(x)$를 다음과 같이
정의하자. $f(x) = e^{-x}$, $-\pi < x < \pi$
$f(x)$를 아래와 같이 Fourier 급수로 나타낼 때,
$\dfrac{b_2 c_2}{a_2}$의 값은? [2.5]

$$f(x) = \frac{a_0}{2} + \sum_{n=1}^{\infty}(a_n \cos nx + b_n \sin nx)$$
$$= \sum_{n=-\infty}^{\infty} c_n e^{inx}$$

① $\dfrac{(1-2i)\sinh\pi}{5\pi}$

② $\dfrac{(1+2i)\sinh\pi}{5\pi}$

③ $\dfrac{2(1-2i)\sinh\pi}{5\pi}$

④ $\dfrac{2(1+2i)\sinh\pi}{5\pi}$

23. 다음 <보기>중 복소함수 $f(z)$에 대해 고립
특이점(isolated singularity) $z_0 = 0$을 중심으로
하는 Laurent 급수를 전개하였을 때, 고립
특이점의 종류와 유수 (residue)가 바르게
짝지어진 것은 몇 개인가? [3]

(가) $f(z) = (1 - z^3)e^{\frac{1}{z}}$, 진성특이점(essential
singularity), $Res\big(f(z), z_0\big) = \dfrac{21}{24}$

(나) $f(z) = \dfrac{1 - \cos z}{z^2}$, 제거 가능
특이점(removable singularity),
$Res\big(f(z), z_0\big) = 0$

(다) $f(z) = (1 - z^2)\sin\left(\dfrac{1}{z}\right)$, 단순극(simple pole),
$Res\big(f(z), z_0\big) = \dfrac{5}{6}$

(라) $f(z) = \dfrac{\cos z}{z^2 - z^3}$, 차수가 2인 극(pole),
$Res\big(f(z), z_0\big) = 0$

① 1개
② 2개
③ 3개
④ 4개

24. 다음 <보기>중 주어진 영역에서 수렴하는
Laurent 급수가 올바르게 구해진 것은 모두 몇
개인가? [4]

(가) $\dfrac{z+1}{(z-1)(z+5)} = \displaystyle\sum_{n=0}^{\infty}\frac{1}{3}\left[\frac{2(-1)^n}{5^{n+1}} - 1\right]z^n$, $0 < |z| < 1$

(나) $\dfrac{3z-1}{(z-2)(z+3)} = \displaystyle\sum_{n=1}^{\infty}\left[2^{n-1} + 2(-3)^{n-1}\right]z^{-n}$, $|z| > 3$

(다)

$\dfrac{2(z+2)}{z^2 - 1} = -\displaystyle\sum_{n=1}^{\infty}\frac{(z+2)^n}{3^n} - \sum_{n=0}^{\infty}(z+2)^{-n}$, $1 < |z+2| < 3$

(라) $\dfrac{10}{(z+2)(z^2+1)} = \displaystyle\sum_{n=0}^{\infty}\left(-\frac{1}{2}\right)^n z^n$
$\qquad + \displaystyle\sum_{n=0}^{\infty} 2(-1)^{n+1} z^{-(2n+1)}$
$\qquad + \displaystyle\sum_{n=1}^{\infty} 4(-1)^{n+1} z^{-2n}$, $1 < |z| < 2$

① 1개
② 2개
③ 3개
④ 4개

25. $\tan^{-1}(3i)$ 를 나타내는 값은? [2.5]

① $-3\pi + i\log_e 2$

② $-\dfrac{3\pi}{2} + i\log_e 2$

③ $\dfrac{9\pi}{2} + i\log_e \sqrt{2}$

④ $5\pi + i\log_e \sqrt{2}$

27. 복소함수 $f(z) = \dfrac{\sin z}{1 + z^2}$ 에 대한 $\dfrac{d^5 f}{dz^5}(0)$의 값은? [3]

① 141

② 143

③ 145

④ 147

26. 다음 <보기>중 옳은 것은 모두 몇 개인가? [4]

<보기>

㈎ 복소함수 $f(z) = e^z$에 대하여 $z_1 \neq z_2$일 때, 항상 $f(z_1) \neq f(z_2)$가 성립한다.

㈏ 복소방정식 $(z+1)^5 = z^5$을 만족하는 해는 모두 4개이며 서로 다른 값을 가진다.

㈐ 복소방정식 $\dfrac{e^z - e^{-z}}{e^z + e^{-z}} = i$를 만족하는 해는 항상 순허수(Purely imaginary number)이다.

㈑ 복소함수 $f(z) = \dfrac{\sinh z}{z^3}$ 는 $z = 0$에서 차수가 3인 극(pole)을 갖는다.

㈒ 복소함수 $f(z) = 3z + e^z + 4$에 의한 사상(mapping)에서 등각사상(conformal mapping)영역에 $z = \log_e 3 - 2\pi i$는 포함된다.

① 2개

② 3개

③ 4개

④ 5개

28. C_1은 원 $|z| = 4$, C_2는 원 $|z| = 2$라 할 때, $\displaystyle\int_{C_1} \dfrac{e^z}{\sin z}dz + \int_{C_2} \dfrac{1}{z\sin^2 z}dz$를 계산하면? (단, C_1, C_2의 방향은 시계반대방향이다.) [3.5]

① $4\pi i\left(\dfrac{1}{3} - \cosh\pi\right)$

② $4\pi i\left(\dfrac{2}{3} - \cosh\pi\right)$

③ $8\pi i\left(\dfrac{1}{3} - \cosh\pi\right)$

④ $8\pi i\left(\dfrac{2}{3} - \cosh\pi\right)$

29. $\displaystyle\int_0^{2\pi} \frac{\sin 5\theta}{\sin\theta}\,d\theta$의 값은? [4]

① $\dfrac{\pi}{2}$

② π

③ $\dfrac{3\pi}{2}$

④ 2π

30. $\displaystyle\int_{-\infty}^{\infty} \frac{1}{(1+x^2)^6}\,dx$의 Cauchy 주치(Cauchy principal value)를 계산하면? [3.5]

① $\dfrac{9!\,\pi}{2^{11}(5!)^2}$

② $\dfrac{9!\,\pi}{2^{10}(5!)^2}$

③ $\dfrac{10!\,\pi}{2^{10}(5!)^2}$

④ $\dfrac{10!\,\pi}{2^{9}(5!)^2}$